新訂版 写真でわかる
基礎看護技術
アドバンス
基礎的な看護技術を中心に！

監修
吉田みつ子
日本赤十字看護大学 基礎看護学・がん看護学 教授

本庄 恵子
日本赤十字看護大学 成人看護学 教授

インターメディカ

本書をご活用いただくために！

「写真でわかるシリーズ」は、看護技術を学ぶ人、教える人の視点に立ち、「アドバンスシリーズ」としてより学びやすく進化しました。

2004年より順次刊行された「写真でわかるシリーズ」の始まりの3冊「写真でわかる臨床看護技術／基礎看護技術❶❷」は、2009年に改訂・再編纂を行い、次の3冊となりました。

「写真でわかる基礎看護技術／基礎的な看護技術を中心に！」
「写真でわかる臨床看護技術❶／注射・検査に関する看護技術を中心に！」
「写真でわかる臨床看護技術❷／呼吸・循環、創傷ケアに関する看護技術を中心に！」

初版刊行から約16年。多くの読者の方々から、内容についてご意見・ご提案が寄せられ、看護教育の場においてご活用いただきました。

2016年、さらに看護技術を学ぶ人の立場、教える人の視点に立ち、よりご活用いただけるテキストを目指して、新たにDVD動画を加えました。

この新訂版では、動画がWeb配信となり、より学習しやすくなりました。

本書の特徴は次の通りです

1. 各CHAPTER（技術項目）は、テーマを系統的に並べており、学習しやすい。基礎教育の学生から臨床看護師まで、継続的に使用できる。
2. 看護技術を支えるエビデンスを検索し、最新の情報を盛り込んでいる。
3. 臨床でよく出会う場面を設定し、複合事例を作成。デモンストレーション授業や演習の展開、自己学習、実技試験などに活用できる。
4. 起こりやすいヒヤリ・ハットについて、その具体的内容を例示。
5. 写真と連動したWeb動画を見て倣うことにより、"行為としての技術"を学ぶことができる。

特に、上記にあげた「複合事例」は「臨床で出会う事例」であり、これまでの技術教育に、次にあげるような新たな要素を加えることができるのではないかと考えます。

1. 臨床で出会う事例を通してシミュレーションすることにより、学習者は、どのような状況で展開される看護技術なのかがわかる。それにより学習者は、患者や周囲への配慮を含め、全体的な配慮をもったケアとしての看護技術へと視点を広げることができる。
2. 事例の中に、患者の状態や看護技術のポイントとなる知識などを盛り込むことによって、アセスメント能力を伸ばすことができる。

本書の特徴

1. 技術項目を系統的に並べているため、学習しやすい。
2. 看護技術を支えるエビデンスを検索し、最新情報を盛り込む。
3. 臨床でよく出会う場面を設定し、「複合事例」を提示する。
4. 起こりやすいヒヤリ・ハットを例示する。
5. 看護技術に関する知識と行為を写真と動画で"見える化"する。

3 臨床で出会う「複合事例」をシミュレーション!!

- Step1 事例提示
- Step2 臨床的な推論、アセスメント
- Step3 ケアプラン
- 対応例

- デモンストレーション授業に
- 演習の展開に
- 自己学習に
- 実技試験に

5 写真と連動した鮮明でわかりやすいWeb動画

QRコードから動画を再生、理解が深まる!

本書をご活用いただくために！

本書のねらいを達成するために、おおよそ次のような構成になっています。
* **目的**：技術ごとの達成目標
* **基礎知識**：看護技術を実施する前に、最低限確認したい基礎的な知識・情報。
* **技術のプロセス**：写真で具体的に、看護技術の手順・コツ・ポイントを解説。
* **ヒヤリ・ハット**：臨床で遭遇しやすいヒヤリ・ハットと対応策を例示。
* **Q&A**：エビデンスなどを提示し、看護技術の根拠について考える。
* **複合事例「あなたならどうする？」**：臨床場面をシミュレーションする中で看護援助としての技術を学ぶ。
* **Web動画**：手技の流れとポイントを「見て」「聴いて」体験するように学ぶ。

本書が、基礎教育の学生から臨床看護師まで、継続的に活用され、看護技術教育の場で役立つことを願っています。

最後になりましたが、本書の土台となりました「写真でわかる臨床看護技術」「写真でわかる基礎看護技術❶❷」にかかわってくださった齋藤梓様、下村裕子様、白柿奈保様、樋口佳栄様、渡邊久美様に感謝いたします。

そして、初版より、私どもを導きご指導くださった故 村上美好先生のおかげで、ここまで来ることができましたことに感謝いたします。

また、感染管理認定看護師 菅原えりさ様、集中ケア認定看護師 中村幸枝様、ET／皮膚・排泄ケア認定看護師 籾山こずえ様にも、深く感謝いたします。

また、企画・撮影・編集にあたり、チームワークよく総力を挙げてサポートしてくださる(株)インターメディカの皆様のお力、日本赤十字社医療センターと日本赤十字看護大学の協力のおかげで、本書が刊行できますことをありがたく思います。

令和2年1月
吉田みつ子・本庄恵子

「写真でわかる基礎看護技術／臨床看護技術」は、
テキスト＋Web動画の新シリーズとして、大きく進化！

テキストとリンクしたわかりやすいWeb動画を加え、
最新情報を取り入れて、内容のバージョンアップを図りました。
「複合事例」も提示し、単に「技術」から、さまざまな症状を併せ持つ「患者」へと
視点を広げ、全体的な配慮のあるケア、アセスメント能力の育成を目指しています。

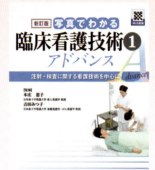

写真でわかる基礎看護技術アドバンス

- CHAPTER 1 環境調整
  - ベッドメーキング
  - 臥床患者のリネン交換
- CHAPTER 2 感染予防の技術
  - 手指衛生
  - 防護具の使用
  - 滅菌物の取り扱い
- CHAPTER 3 移動の援助
  - 体位変換・ポジショニング
  - 車椅子での移動
  - ストレッチャーでの移動
- CHAPTER 4 清潔の援助
  - 清拭　爪切り　着替え
  - 洗髪　陰部洗浄
  - 手浴・足浴
- CHAPTER 5 口腔ケア
  - 歯ブラシを用いた口腔ケア
  - 吸引を利用した口腔ケア
  - 口腔リハビリテーション
- CHAPTER 6 食事の介助
- CHAPTER 7 排泄の援助
  - ポータブルトイレを用いた援助
  - 車椅子を用いた援助
  - ベッド上での排泄援助
  - おむつを用いた援助
- CHAPTER 8 導尿
- CHAPTER 9 経尿道的膀胱留置カテーテル
- CHAPTER 10 グリセリン浣腸法
- CHAPTER 11 摘便
- CHAPTER 12 罨法
- CHAPTER 13 日常生活援助におけるリハビリテーション
- CHAPTER 14 死後のケア

写真でわかる臨床看護技術❶アドバンス

- CHAPTER 1 与薬
- CHAPTER 2 注射法（皮内・皮下・筋肉）
  - 薬液の準備
  - 皮下注射
  - 筋肉注射
- CHAPTER 3 静脈注射
  - ―ワンショット―
- CHAPTER 4 点滴静脈注射
- CHAPTER 5 中心静脈注射
- CHAPTER 6 ヘパリンロック・生食ロック
- CHAPTER 7 自動輸液ポンプ
- CHAPTER 8 シリンジポンプ
- CHAPTER 9 輸液中の寝衣交換
- CHAPTER 10 検査時の看護
- CHAPTER 11 静脈血採血
  - 翼状針とホルダーによる真空採血
  - 直針とホルダーによる真空採血
- CHAPTER 12 血糖自己測定
- CHAPTER 13 経管栄養法

写真でわかる臨床看護技術❷アドバンス

- CHAPTER 1 酸素吸入
- CHAPTER 2 吸入療法（ネブライザー）
- CHAPTER 3 口鼻腔吸引
- CHAPTER 4 気管吸引
- CHAPTER 5 気管挿管の介助
- CHAPTER 6 人工呼吸器を装着している人のケア
- CHAPTER 7 呼吸理学療法
- CHAPTER 8 12誘導心電図
- CHAPTER 9 モニター心電図
- CHAPTER 10 胸腔ドレーンの管理
- CHAPTER 11 手術創のドレッシングとドレーン管理
  - ドレッシング
  - ドレーン管理
- CHAPTER 12 術後の回復を促すケア
- CHAPTER 13 ストーマケア（人工肛門のケア）
- CHAPTER 14 褥瘡のケア

新訂版 写真でわかる 基礎看護技術アドバンス
基礎的な看護技術を中心に！

CONTENTS

本書をご活用いただくために！……………………………………………………2

CHAPTER 1　環境調整 …………………………………………………… 10
- 病床・病室環境の整備　● ベッドメーキング [Web動画]
- 臥床患者のリネン交換 [Web動画]

CHAPTER 2　感染予防の技術 …………………………………………… 27
- 手指衛生 [Web動画]　● 防護具の使用 [Web動画]
- 滅菌物の取り扱い [Web動画]
- →★あなたならどうする？ 複合事例①…………………………… 51

CHAPTER 3　移動の援助 …………………………………………………… 52
- 体位変換・ポジショニング [Web動画]　● 車椅子での移動 [Web動画]
- ストレッチャーでの移動 [Web動画]　● 歩行
- →★あなたならどうする？ 複合事例②③………………………… 70

CHAPTER 4　清潔の援助 …………………………………………………… 72
- 入浴　● 清拭 [Web動画]　● 爪切り [Web動画]
- 着替え [Web動画]　● 洗髪 [Web動画]　● 陰部洗浄 [Web動画]
- 手浴・足浴 [Web動画]
- →★あなたならどうする？ 複合事例④⑤………………………… 99

CHAPTER 5　口腔ケア ……………………………………………………… 101
- 歯ブラシを用いた口腔ケア [Web動画]
- 吸引を利用した口腔ケア [Web動画]　● 義歯の清掃と保管
- 口腔リハビリテーション [Web動画]

CHAPTER 6　食事の介助 [Web動画] …………………………………… 125
- →★あなたならどうする？ 複合事例⑥…………………………… 130

CHAPTER 7　排泄の援助 …………………………………………………… 131
- ポータブルトイレを用いた援助 [Web動画]
- 車椅子を用いた援助　● ベッド上での排泄援助 [Web動画]
- おむつを用いた援助 [Web動画]
- →★あなたならどうする？ 複合事例⑦…………………………… 144

CHAPTER 8　導 尿 [Web動画] …………………………………………… 145

CHAPTER 9　経尿道的膀胱留置カテーテル [Web動画] ……………… 153

CHAPTER 10　グリセリン浣腸法 ………………………………………… 166

CHAPTER 11　摘 便 ………………………………………………………… 172

CHAPTER 12 罨法 ... 177
- ●温罨法　●冷罨法
- →★あなたならどうする？ 複合事例⑧ ... 181

CHAPTER 13 日常生活援助におけるリハビリテーション ... 182
- ●関節可動域運動（ROM運動）
- ●座位姿勢の保持、ベッドからの起き上がり
- ●整容　●端座位での衣類の着脱

CHAPTER 14 死後のケア ... 218
- ●死亡確認から、お別れの準備まで　●お別れ（末期の水）
- ●お別れの後　●病理解剖後の処置

参考文献 ... 242

EDITORS/AUTHORS

【監修】
- 吉田みつ子　日本赤十字看護大学 基礎看護学・がん看護学 教授
- 本庄　恵子　日本赤十字看護大学 成人看護学 教授

【執筆】
- 吉田みつ子　日本赤十字看護大学 基礎看護学・がん看護学 教授
- 奥田　清子　元 日本赤十字看護大学 基礎看護学 助手
- 森　祥子　東海大学健康科学部看護学科 基礎看護学 講師

【動画監修】
- 守田美奈子　日本赤十字看護大学 学長
- 古川　祐子　前 日本赤十字社医療センター 副院長兼看護部長／
　　　　　　　日本赤十字看護大学 看護管理学 准教授

【動画監修・技術指導】
- 川上　潤子　日本赤十字社医療センター 看護部長

【動画技術指導】
- 長内佐斗子　日本赤十字社医療センター 看護部
- 城所　環　日本赤十字社医療センター 看護部
- 齋藤　文子　日本赤十字社医療センター 看護部
- 松浦　直子　日本赤十字社医療センター 看護部

【協力】
- 日本赤十字看護大学
- 日本赤十字社医療センター看護部

本書のWeb動画の特徴と視聴方法

「写真でわかる アドバンス」シリーズの動画が
Web配信でより使いやすく、学びやすくなりました！

Web動画の特徴

- テキストのQRコードをスマートフォンやタブレット端末で読み込めば、リアルで鮮明な動画がいつでも、どこでも視聴できます。
- テキストの解説・写真・Web動画が連動することで、「読んで」「見て」「聴いて」、徹底理解！
- Web動画で、看護技術の流れやポイントが実践的に理解でき、臨床現場のイメージ化が図れます。
- 臨床の合間、通勤・通学時間、臨地実習の前後などでも活用いただけます。

本書のQRコードがついている箇所の動画をご覧いただけます。

本文中のQRコードを読み取りWeb動画を再生。
テキストと連動し、より実践的な学習をサポートします！

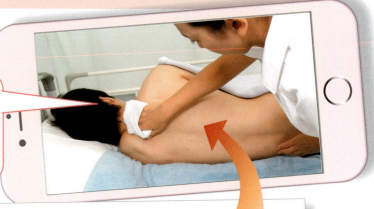

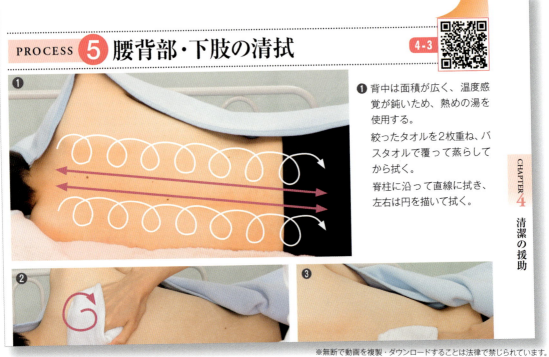

PROCESS ❺ 腰背部・下肢の清拭　4-3

❶ 背中は面積が広く、温度感覚が鈍いため、熱めの湯を使用する。
絞ったタオルを2枚重ね、バスタオルで覆って蒸らしてから拭く。
脊柱に沿って直線に拭き、左右は円を描いて拭く。

CHAPTER 4　清潔の援助

※無断で動画を複製・ダウンロードすることは法律で禁じられています。

Web動画の視聴方法

本書中のQRコードから、Web動画を読み込むことができます。
以下の手順でご視聴ください。

①スマートフォンやタブレット端末で、QRコード読み取り機能があるアプリを起動します。
②本書中のQRコードを読み取ります。
③動画再生画面が表示され、自動的に動画が再生されます。

URLからパソコン等で視聴する場合

QRコードのついた動画は、すべてインターメディカの特設ページからもご視聴いただけます。以下の手順でご視聴ください。

①以下URLから特設ページにアクセスし、下記のパスワードを入力してログインします。

http://www.intermedica.co.jp/video/2068
パスワード：ha5xcp

※第三者へのパスワードの提供・開示は固く禁じます。

②動画一覧ページに移動後、サムネールの中から見たい動画をクリックして再生します。

閲覧環境

- iOS搭載のiPhone／iPadなど
- Android OS搭載のスマートフォン／タブレット端末
- パソコン（WindowsまたはMacintoshのいずれか）

・スマートフォン、タブレット端末のご利用に際しては、Wi-Fi環境などの高速で安定した通信環境をお勧めします。
・インターネット通信料はお客様のご負担となります。
　動画のご利用状況により、パケット通信料が高額になる場合があります。パケット通信料につきましては、弊社では責任を負いかねますので、予めご了承ください。
・動画配信システムのメンテナンス等により、まれに正常にご視聴いただけない場合があります。その場合は、時間を変えてお試しください。また、インターネット通信が安定しない環境でも、動画が停止したり、乱れたりする場合がありますので、その場合は場所を変えてお試しください。
・動画視聴期限は、最終版の発行日から5年間を予定しています。なお、予期しない事情等により、視聴期間内でも配信を停止する場合がありますが、ご了承ください。

QRコードは、（株）デンソーウェーブの登録商標です。

CHAPTER 1 環境調整

療養環境を整えることには生理学的・物理的な側面、人的資源、チームメンバー調整など、さまざまな要素が含まれる。高度医療機器に取り囲まれることの多い医療現場において、患者が日常性を維持しながら治療を受けられるよう援助するには、環境調整が大変重要である。
本章では病床・病室環境の整備、ベッドメーキング、臥床患者のリネン交換について解説する。

目的 患者を最良の状態におくためには、患者の周囲の環境を整えることが重要であり、そのために何ができるのかを考え、実践する。

■患者を取り巻く環境

人はおかれた環境によって健康状態が向上したり、悪化したりする。とりわけ自分で動くことのできない患者にとって、ベッド周りの環境は療養生活に大きな影響をもたらす*。
病人を取り巻く環境には、大きく分けて部屋の広さ、気温、湿度、陽光、音、寝具、医療機器などの物理的環境、同室者との関係性やプライバシーなどの人的環境がある。
実際には、これらが絡み合い患者の日常生活行動や療養生活を妨げることになる。

病床・病室環境のアセスメント

食べることへの影響
- 臭い（排泄物・食物など）
- 陽光の差さないベッドの位置
- 医療器具や汚物
- 医療者の汚れたユニホーム

動くことへの影響
- 手すりのない廊下、ベッド柵
- 濡れた床
- 手の届くところにないナースコールや私物

清潔・身支度を整えることへの影響
- 多床室、同室者への気兼ね、恥辱感

排泄することへの影響
- 多床室、同室者への気兼ね（臭い・音など）

感染・事故への影響
- 微生物の繁殖を招く温度・湿度
- 馴染みのない場所・器具による事故

病床・病室環境
≪物理的環境≫
- 部屋の広さ・気温・湿度
- 陽光・音・寝具・医療機器など
- 臭気、気流、床・壁の色

≪人的環境≫
- 同室者との関係、プライバシー

体温を調節することへの影響
- 病室内の気温
- 寝具の種類・枚数

眠ることへの影響
- 同室者（いびき・テレビ・治療・ケア・臭いなど）
- 夜間巡回時の足音・ライト
- 自宅とは異なる寝具

*フローレンス・ナイチンゲールは、新鮮な空気、陽光、暖かさ、清潔さ、静かさ、食事を適切に選び管理することなどのすべてを、患者の生命力の消耗を最小にするように整えることが看護であると述べている。

病床・病室環境の整備

療養・生活の場としてのベッドや布団周りを清潔にし、日常生活行動が行いやすいように整えること、物理的な環境（温度・湿度・照明・音・臭気・気流・床・壁など）を快適で安全に整えることは、患者が持つ回復力を高めるための基本となる援助である。

目的
1. 患者一人ひとりに適した病床・病室環境をアセスメントし、ニーズを明確にする。
2. 患者ができるだけ快適で、安全に、自立した生活行動をとることができるように、病床周辺の物品、医療機器、生活用品を整える。

■病室の温度・湿度・照度・騒音の基準（環境基本法）

騒音	●昼間50デシベル以下 夜間40デシベル以下 （療養施設のある地域）	⇒50デシベルは、静かな事務所やクーラー屋外機の始動時程度の音
明るさ	●病室の推奨照度は100〜200ルクスが目安 （JIS照度基準）	
温度・湿度	●気温は17度以上28度以下 湿度は40％以上70％以下	⇒温度・湿度は気流の有無によって体感が異なり、個人差もあるが、おおよその基準値が定められている。

＊実際に病院内の環境を調査した結果では、1月に測定したナースステーションからもっとも近い病室の騒音は51.3デシベル、北側の廊下側の病室の照度615ルクス、室温26.4度、湿度29.1％であった。

■病室の構造、空間の確保とプライバシー

病院・診療所の病室の床面積	●患者1人につき6.4m²以上 （医療法施行規則）	⇒患者が安全に治療を受け、療養生活を送るためには物理的な空間を確保し、プライバシーの保たれた安心できる環境を整えることが重要である。 ⇒多床室の場合には、患者の健康状態に関する情報や個人情報が守られるように配慮すること、また治療や看護において同室者に見られることがないように、カーテンを活用するなど配慮する。

CHAPTER 1

病室訪問時に行う環境調整

病室内の温度・湿度・臭気・明るさ・音

- 気温は患者の好みにより異なるため、可能な限りそのつど調整する。一般的には20〜22度、湿度60％程度が目安である。患者の体感温度、快適かどうかを確認する。
- 臭いがこもっているときには窓を開け、通気をよくして、換気する。
- 直射日光が当たるか、日中まったく光が差さないかなど、患者の好みを聞きながらカーテンやブラインドなどで調整する。特に自分で動けない患者の場合には、細やかに対応する。
- 廊下側のベッドや、ナースステーションに近い病室では、医療従事者や面会の家族などの話し声、ワゴンなど運搬時の音、足音、医療器具から発生する電子音などがよく聞こえる。ドアを閉め、プライバシーへの配慮を行うなどして対応する。

ベッド、シーツ

- シーツの敷き込みが崩れたり、しわになっていると、見た目の美しさが損なわれるだけでなく、転倒・転落や褥瘡の原因になる。常にしわを伸ばして整える。

医療機器

- 点滴スタンドの位置は患者の活動の妨げになっていないか、輸液・酸素などのチューブ類が絡まり合っていないか、屈曲したり、引っ張られていないか確認する。
- 使用していない医療器具、使用済みの注射器、アルコール綿などがベッドサイドに置きっ放しになっていないかチェックする。

ナースコール、オーバーテーブル

- ナースコールが常に患者の視野に入り、手の届く場所にあるかどうか、ティッシュペーパーや生活に必要な物品が手の届く範囲にあるかどうかを確認し、整える。

尿便器、紙おむつ

- 尿がたまったままの尿便器やポータブルトイレがベッド周りにないか、紙おむつが枕元に置かれていないかをチェックする。

安全という観点からみた病床・病室の整備

治療上安静が必要な人、動くことができない人、体力や活動性が低下している人は、他者の援助がなければ快適性や安全性が守られない状況におかれている。
特に、患者自身の生活様式や習慣、入院による環境の変化への適応力、認知力などによっては、転倒などのアクシデントが起こりやすいため、注意が必要である。

ベッド周囲の環境整備

チェック項目	内容	起こり得るリスク
ナースコールの位置	手の届くところにある？	●看護師を呼べず状態が悪化 ●看護師を呼べず、患者1人で動いて転倒
床頭台や必要物品の位置	患者の必要物品（吸い飲みなど）が、手の届くところに、安定して置かれている？	●物をとることができず、体を乗り出して転倒・転落
ベッド柵の位置・本数	ケアの前後で、必要数が配置されている？	●柵がなかったために転落
ベッドのストッパー	ストッパーがかかっている？	●離床前後でのふらつき、転倒
ギャッチアップ・ハンドルの収納	ベッド幅よりも外側にハンドルが出ていない？	●ハンドルにつまずいて転倒
ベッド周囲の障害物	患者の衣類・かばんなどが床に放置されていない？	●障害物につまずいて転倒
床の状態	濡れていない？	●濡れた床で滑って転倒
靴の位置	履きやすい位置にある？	●ベッドの下に押し込まれていた靴を、とろうとして転落

意識状態が清明ではない場合の療養環境整備（自分で動ける人の場合）

整備項目	根拠
ベッド柵を布やマットなどで保護する	●ベッド柵に体をぶつける人の場合、ぶつかっても障害が軽減される。
ベッド柵4点全部は使わない	●ベッド周囲をベッド柵4点ですべて閉じてしまうと、患者がベッド柵を乗り越えて転落する場合がある。より高いところからの転落となるため危険である。 ●ベッド柵は3点とし、出口を確保する。
起き上がりセンサー 離床センサー付きマット	●患者の起き上がり時やベッドから降りた時に、マットのセンサーが感知し、ナースコールが鳴る装置。ナースコールを押すことができない患者の転倒転落を防止するために使用される。 しかし、患者の行動を制限することになるため、倫理的な配慮を行い、必要性や使用期間を検討し、患者や家族への説明・同意が不可欠である。

＊いずれも倫理的な配慮を十分に行い、必要性を見極め、家族や患者に説明し、同意を得たうえで実施する。

CHAPTER 1

環境整備〈基本〉 ベッド周囲の整備ポイント

安全な療養環境を整備するため、もう1度、ポイントを見直してみよう。

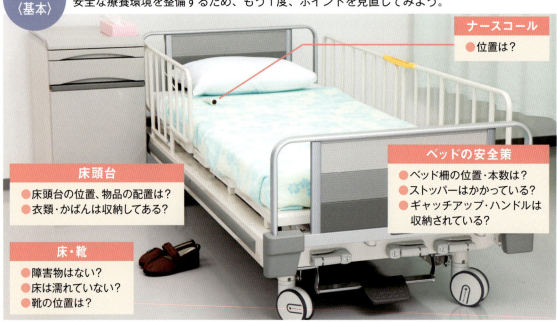

ナースコール
- 位置は？

床頭台
- 床頭台の位置、物品の配置は？
- 衣類・かばんは収納してある？

ベッドの安全策
- ベッド柵の位置・本数は？
- ストッパーはかかっている？
- ギャッチアップ・ハンドルは収納されている？

床・靴
- 障害物はない？
- 床は濡れていない？
- 靴の位置は？

環境整備〈応用〉 意識状態が清明でない人のための療養環境（自分で動ける人の場合）

転倒・転落を防ぐため、ベッド柵や離床センサーの使用に工夫が必要である。

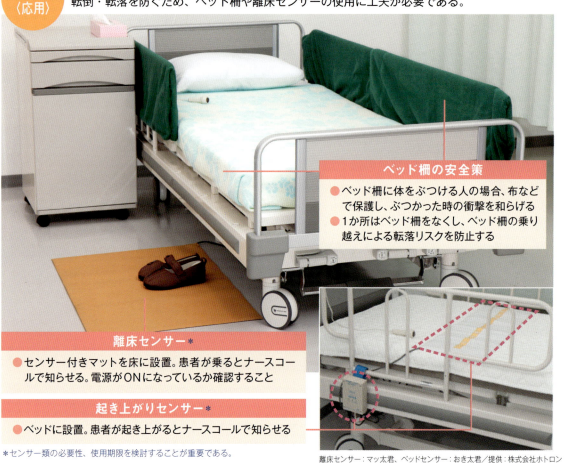

ベッド柵の安全策
- ベッド柵に体をぶつける人の場合、布などで保護し、ぶつかった時の衝撃を和らげる
- 1か所はベッド柵をなくし、ベッド柵の乗り越えによる転落リスクを防止する

離床センサー*
- センサー付きマットを床に設置。患者が乗るとナースコールで知らせる。電源がONになっているか確認すること

起き上がりセンサー*
- ベッドに設置。患者が起き上がるとナースコールで知らせる

*センサー類の必要性、使用期限を検討することが重要である。

離床センサー：マッ太君、ベッドセンサー：おき太君／提供：株式会社ホトロン

環境調整

ベッドメーキング

入院あるいは自宅で療養する人にとって、ベッドは治療を受ける場であると同時に、さまざまな生活行動を行う場として重要な意味を持つ。そこに生活する人がどのようなニーズを持つのかを知ることが、ベッドメーキングの基本となる。

目 的

1. 清潔で寝心地のよいベッドをつくることにより、病気からの回復意欲を促進する。
2. 感染や転倒・転落などの危険を予防し、セルフケアレベルに合わせた安全なベッドを整える。

■ベッドの種類・構造

一般的に用いられるギャッチベッド*は、頭側や足側を挙上したり、足側を折り曲げるなどの機能を持つ。
その他、ICUベッド、透析用ベッドなどは治療に適した医療機器を設置したり、搬送・治療を同一ベッドで行えるなどの機能を持つ。生活・介護を意図したベッド、小児の安全に配慮したベッドなどもある。
使用する人のセルフケアレベル、成長・発達段階などに合わせてベッド・寝具を選択する。

*名称は、米国の外科医Gatchに由来する。

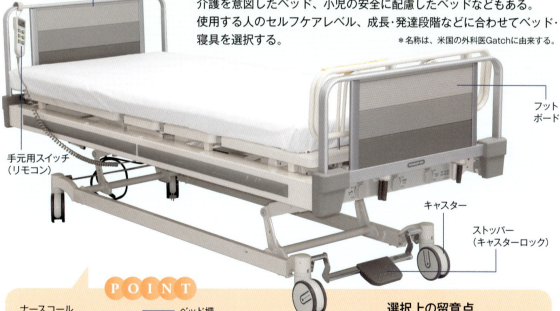

選択上の留意点

- ベッド柵の隙間は、直径12cmのものが通らないことが必要である。
- ベッド柵間の隙間は、直径6cmのものが通らないよう設置する。
- ベッド柵の隙間に頭が入り込む事故が多発しているので注意する。
- 褥瘡発生リスクの高い患者には、体圧分散寝具を使用し、皮膚接触面の圧を下げる。減圧・除圧機能の高いマットレスなどが開発されている。

CHAPTER 1

PROCESS 1 必要物品の準備

❶ 下シーツ　❷ 上シーツ　❸ 毛布　❹ マットレスパッド
❺ 枕カバー　❻ 防水（ラバー）シーツ（必要時*）
❼ 掃除用粘着テープ　❽ ランドリーバッグ

*蒸れやしわができやすいため、できるだけ使用しない。

毛布・包布の場合

上シーツ・毛布・スプレッドの場合

最近は、毛布に包布をかけて使用する施設も多い

PROCESS 2 使用中のリネンを外す

1-2

❶ まず、窓を開けて換気。ベッドの高さを作業しやすいよう調節する。

❷ 皮膚の落屑・毛髪、汚れなどを内側に丸めながら、シーツ、マットレスパッドをはがす。

❸ 汚れたリネンは床に置かず、ランドリーバッグに入れる。

❹ 血液などの体液で汚染されたリネンは、別に処理する。

PROCESS 3 マットレスパッド、下シーツを敷く

1-3

❶ ベッド上にマットレスパッドを広げる。

❷ ベッドの片側に下シーツを広げ、反対側へとしわを伸ばしながら広げる。

下シーツ　マットレスパッド

POINT

■ 1人が下シーツを押さえ、もう1人が広げる。2人でタイミングを合わせて行う。

■ 2人の看護師が息を合わせ、声をかけ合いながら行うことで、効率よく実施することができる。

環境調整

❸ ベッド頭側のマットレスの下に下シーツを入れ込み、角で持ち上げて、三角形をつくる。

> **POINT**
> ■ 下シーツでつくる三角形の底辺は、マットレスと水平にし、直角三角形となる。

> **CHECK!**
> **コーナーをくずれにくく**
> シーツを引っ張りながら、きちんと三角形をつくると、くずれにくいコーナーをつくることができる。

❹ 持ち上げた下シーツをベッド上に置き、ベッド側面で水平に下シーツを引く。
ベッド頭側の角に手を置いて押さえながら、三角形の部分を折り返す。

①シーツを引っ張る
↓
②折り返してマットレスに敷き込む

> **POINT**
> ■ 三角形のシーツを折り返す際、ベッド頭側の側面に手を添えると、折り返しが45度になり、美しく、くずれにくい。

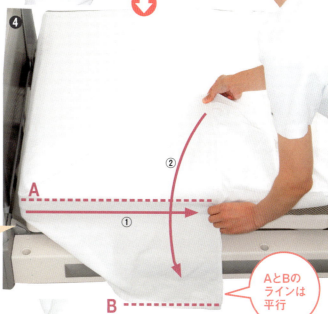

AとBのラインは平行

❺ 両手のひらを下にして、水平にマットレスの下に差し込み、シーツを入れ込む。
❸～❺の手順で、ベッドの四隅に三角形の折り目をつくる。

> **POINT**
> ■ 順手で行い、手の損傷を防ぐ。
> ■ 実施中に、膝を床につかないよう注意！
> ■ ベッドの四隅に三角形の折り目をつくる。

CHAPTER 1

PROCESS 4 上シーツをかける

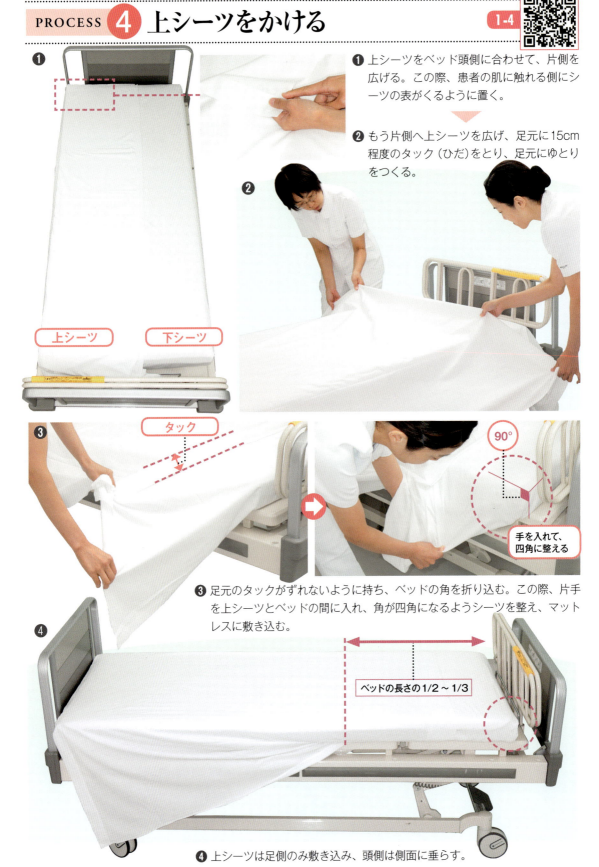

❶ 上シーツをベッド頭側に合わせて、片側を広げる。この際、患者の肌に触れる側にシーツの表がくるように置く。

❷ もう片側へ上シーツを広げ、足元に15cm程度のタック（ひだ）をとり、足元にゆとりをつくる。

❸ 足元のタックがずれないように持ち、ベッドの角を折り込む。この際、片手を上シーツとベッドの間に入れ、角が四角になるようシーツを整え、マットレスに敷き込む。

❹ 上シーツは足側のみ敷き込み、頭側は側面に垂らす。

環境調整

PROCESS 5 毛布をかける　1-5

❶ ベッド頭側を15〜20cm程度あけ、毛布を足側へと広げる。

❷ 毛布は上シーツと同様に、足側に15cm程度のタックをとり、足側2か所を四角に入れ込む。頭側は側面に垂らす。

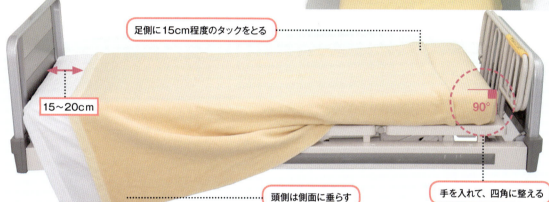

足側に15cm程度のタックをとる

15〜20cm

90°

頭側は側面に垂らす

手を入れて、四角に整える

PROCESS 6 スプレッドをかける　1-6

❶ スプレッドはベッド頭側に合わせて置く。ベッドの片側に広げ、もう片側へとしわを伸ばしながら広げる。

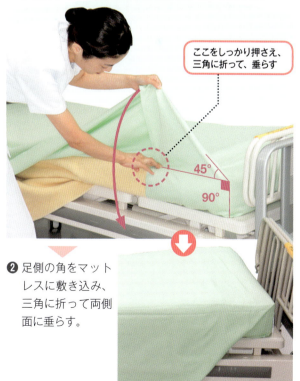

ここをしっかり押さえ、三角に折って、垂らす

45°
90°

❷ 足側の角をマットレスに敷き込み、三角に折って両側面に垂らす。

CHAPTER 1

❸ 襟元はまず、スプレッドを毛布に折り込み（②）、上シーツをスプレッドの上に折り返す（③）。

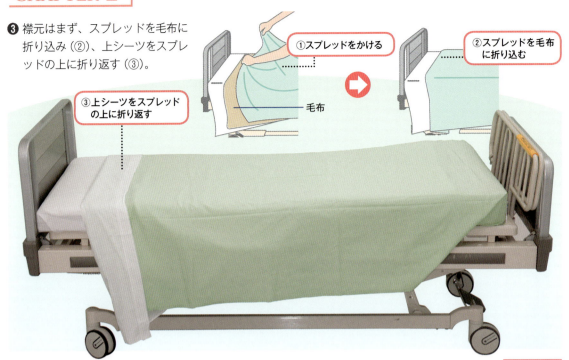

①スプレッドをかける
②スプレッドを毛布に折り込む
③上シーツをスプレッドの上に折り返す
毛布

PROCESS 7 枕カバーをかける

1-7

2人で行う

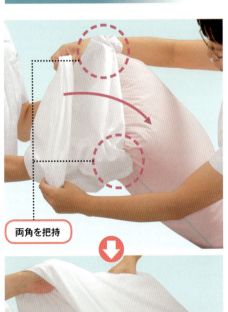

両角を把持

❶ 1人が枕カバーの上から、枕の両角を把持し、もう1人がカバーを引き下ろす。

❷ 枕カバーの端を内部に入れ込み、形を整える。

POINT
- カバーを折り込んだ側が、枕の裏側になるよう置く。
- カバーの縫い目が患者の肩に触れないようにする。

1人で行う

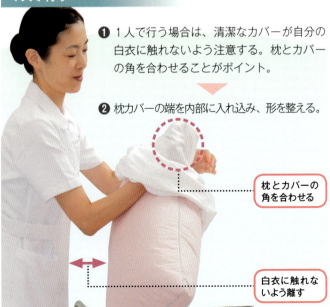

❶ 1人で行う場合は、清潔なカバーが自分の白衣に触れないよう注意する。枕とカバーの角を合わせることがポイント。

❷ 枕カバーの端を内部に入れ込み、形を整える。

枕とカバーの角を合わせる

白衣に触れないよう離す

環境調整

PROCESS 8 ベッド周りを整える

ベッドの高さ、ベッド柵、ナースコール、コールマット、医療器具、ごみ箱など、患者が使いやすいよう元通りにする。ベッドのストッパーをかけ、患者の私物に破損・紛失がないことを確認する。オーバーテーブル、床頭台、ベッド柵の汚れを拭く。
使い終わった氷枕や不要な医療器具を片付け、汚れたリネンをまとめて洗濯に出す。

CHECK!
包布を用いる場合

■ 上シーツ、毛布、スプレッドではなく、毛布に包布をかけて用いる場合も多い。
包布をかける際は、まず、2か所の角を合わせて広げる。
次に、残りの両角を合わせて包布を整え、ひもを結ぶ。
（縦結びにならないようにする）

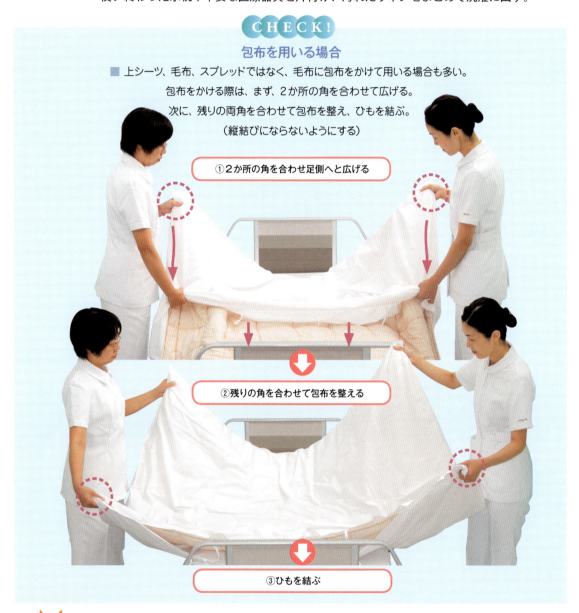

①2か所の角を合わせ足側へと広げる

②残りの角を合わせて包布を整える

③ひもを結ぶ

ヒヤリ・ハット　シーツ交換時に、ストッパーをかけ忘れた！

事例1 患者が腰かけたらベッドが動き、転落しそうになった！
→シーツ交換前後は、必ず、ベッドのストッパーを確認する。シーツ交換後は、ベッド周りを元通りに整える。

CHAPTER 1

臥床患者のリネン交換

1-8

リネン交換は、感染予防や作業のしやすさなどのため、患者にベッドから起き上がり、病室外に出てもらって実施するのが基本である。
しかし、患者の病状によってはベッドから起き上がったり、病室から出られない場合がある。その際、患者にベッドサイドの椅子に腰かけてもらったり、患者がベッドに臥床したままの状態でリネン交換を行うことになる。特に、臥床状態の場合はリネンも汚れやすいため、リネン交換は回復を促すための重要な援助となる。

目的
1. ベッドに臥床したままの患者に、清潔で寝心地のよいベッドを提供し、回復意欲を促進する。
2. 感染を予防し、患者および看護師の身体への負荷を最小限にしてリネンを交換する。

PROCESS 1 必要物品の準備、実施前の準備

看護師は手洗いを行い、必要物品を準備する。

❶ 下シーツ ❷ 上シーツ ❸ 毛布（必要時）
❹ マットレスパッド（必要時） ❺ 枕カバー
❻ 防水（ラバー）シーツ（必要時）
❼ 掃除用粘着テープ ❽ ランドリーバッグ

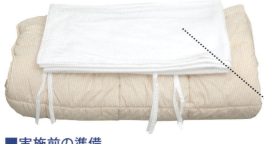
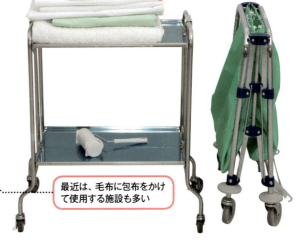

最近は、毛布に包布をかけて使用する施設も多い

■実施前の準備

患者への説明・準備	●気分不快の有無、バイタルサイン、排泄を済ませているかなどを確認する。 ●必要時、患者にマスクをつけてもらい、リネン交換中のほこりの吸引を避ける。同室に臥床中の人がいる場合は、カーテンを引く。 ●これから行う手順や動作を説明し、了解を得る。 ●疼痛のある部位、関節拘縮のある部位をあらかじめ把握し、無理な体位をとらないようにする。
看護師の身支度	●便・尿・血液など、体液の付着したリネンを取り扱うときは、手袋やプラスチックエプロンを装着する。
病室	●できるだけ窓・ドアを開け、空気の流れをつくる。
医療器具	●酸素チューブ、尿道留置カテーテル、輸液ライン、その他ドレーン類が体位変換時に抜けたり、絡まったりしないよう整理する。

環境調整

PROCESS 2 使用中の下シーツを外す

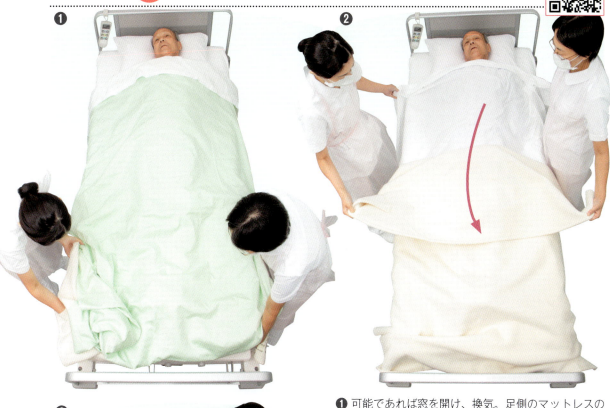

❶ 可能であれば窓を開け、換気。足側のマットレスの下に手を入れ、下シーツの角を崩し、そのまま頭側に手を動かして、四隅の敷き込みを外す。

❷ スプレッド、毛布を外し、上シーツのみを残す。

❸ 患者に側臥位になってもらう。不必要な露出を避けるため、患者には古いシーツをかけながら行う。
皮膚の落屑・毛髪、汚れなどを内側に丸めながら、使用中の下シーツをベッド中央まで外す。

POINT
感染予防の対策
- 便・尿・血液など、体液の付着したリネンを取り扱うときは、手袋やプラスチックエプロンを装着する。
- 患者に必要時、ほこりを吸入しないよう、マスクを装着してもらう。看護師もマスクを装着する場合がある。

POINT
医療器具への注意
- 輸液ライン、尿道留置カテーテル、酸素チューブなどが引っ張られて抜けないよう体位変換に合わせ、十分にゆとりを持たせて行う。

CHAPTER 1

PROCESS 3 新しい下シーツを敷く

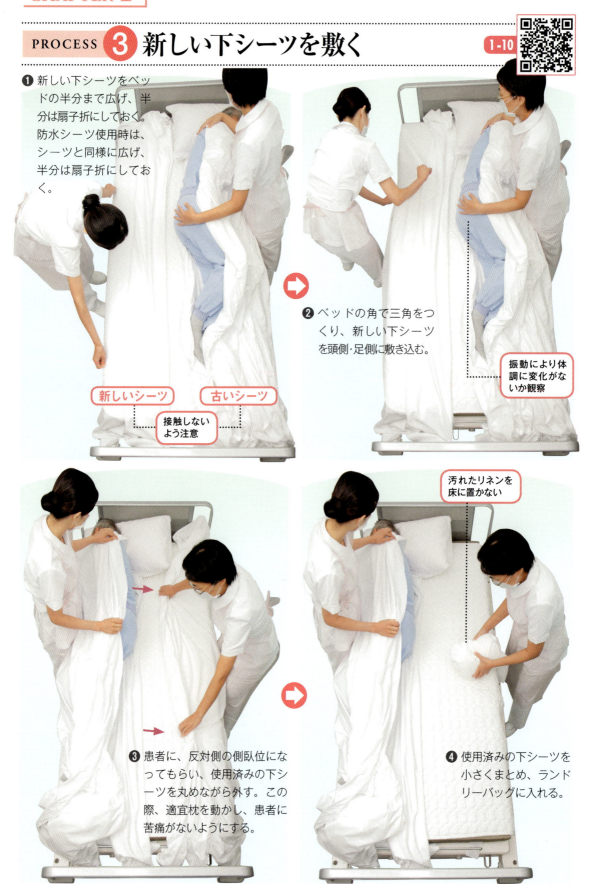

❶ 新しい下シーツをベッドの半分まで広げ、半分は扇子折にしておく。防水シーツ使用時は、シーツと同様に広げ、半分は扇子折にしておく。

新しいシーツ　古いシーツ
接触しないよう注意

❷ ベッドの角で三角をつくり、新しい下シーツを頭側・足側に敷き込む。

振動により体調に変化がないか観察

❸ 患者に、反対側の側臥位になってもらい、使用済みの下シーツを丸めながら外す。この際、適宜枕を動かし、患者に苦痛がないようにする。

❹ 使用済みの下シーツを小さくまとめ、ランドリーバッグに入れる。

汚れたリネンを床に置かない

環境調整

❺ 新しい下シーツを引き出して広げる。

❻ 頭側に三角形をつくり、マットレスに敷き込む。
足側は引っ張ってしわを伸ばしてから、三角形をつくって敷き込む。

PROCESS 4 上シーツ・毛布・スプレッドを交換する 1-11

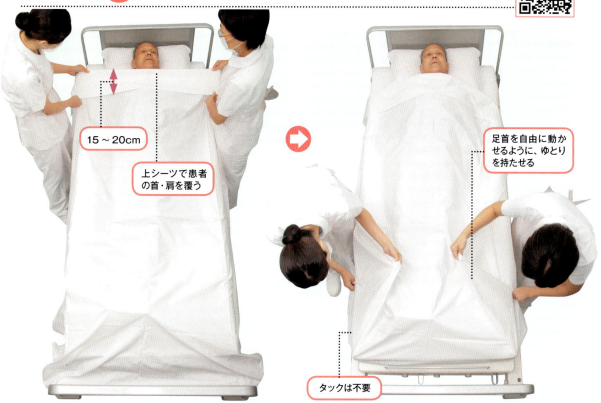

15～20cm
上シーツで患者の首・肩を覆う

足首を自由に動かせるように、ゆとりを持たせる

タックは不要

❶ 古い上シーツを外し、新しい上シーツをかける。その際、襟元は15～20cm程度折り返す。

❷ 左右の足側に三角形をつくり、手を入れて角が四角になるように整え、マットレスの下に敷き込む。

CHAPTER 1

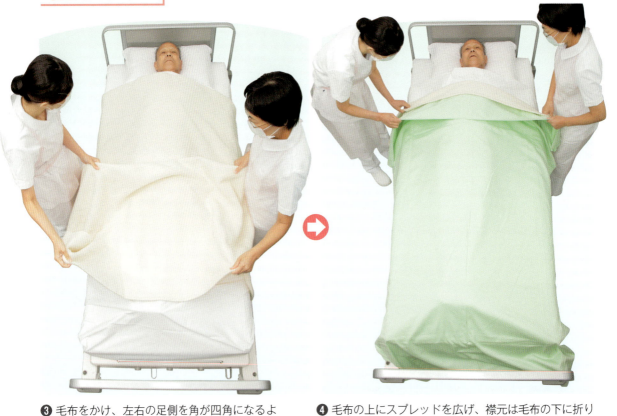

❸ 毛布をかけ、左右の足側を角が四角になるよう敷き込む。タックは不要である。

❹ 毛布の上にスプレッドを広げ、襟元は毛布の下に折り返す。さらに、上シーツをスプレッドの上に折り返す。

❺ 左右の足元をマットレスの下に敷き込み、三角にして垂らす。

❻ 最後に枕カバーを取り替え、ベッド周りを整える。

POINT
枕カバーの交換
- 枕カバーを交換する際は、代わりにクッションなどを患者の頭部に挿入する。
- 頭部を動かす際は、静かに行う。

CHAPTER 2 感染予防の技術

感染予防の技術は、毎年新しいデータが発表され、
道具の改良・発明によって多くの新製品が登場する。
今後も新しいデータとともに、その中身は変容していくと思われる。
基本的な清潔・不潔の概念とその予防策を踏襲したうえで、
新しい技術・道具を取り入れていく必要がある。

目 的 患者と医療者をともに感染から守る。

医療者を守る【防護具（PPE）】 手袋・マスク・ガウン・アイシールドなど

手洗い

患者を守る【無菌操作】 滅菌物の取り扱い、カテーテル挿入など

標準予防策（スタンダードプリコーション）

↓

すべての患者

《飛沫感染》インフルエンザなど
《空気感染》結核など
《接触感染》MRSA、ロタウイルスなど

特定の感染症と診断された、あるいは疑われる患者

↑

感染経路別予防策

■感染管理の考え方

1996年、米国CDC（Center for Disease Control and Prevention）より発表された「病院における隔離予防策のためのCDC最新ガイドライン」(文献1)では、感染対策の基本となる標準予防策（スタンダードプリコーション）を実施し、特定の感染症が疑われる場合は感染経路別予防策を追加して実施することを提唱している。現在は、日本においても、これが感染予防策の基本的な考え方となっている。

標準予防策とは、「すべての患者の血液・体液・分泌物（汗は除く）、排泄物、傷のある皮膚、粘膜を感染の可能性のあるもの」として扱う。標準予防策の実施をもとに、感染源の感染経路を把握し、感染経路別予防策（空気感染・飛沫感染・接触感染）を適応する。

CHAPTER 2

■標準予防策(スタンダードプリコーション)

標準予防策	実際の場面
生体物質・創部・粘膜に触れる場合には、手袋を着用する。	吸引、排泄ケア(オムツ交換)、血液・滲出液廃棄時など。
飛散した血液は、手袋を着用して拭き取る。	吐血・鼻出血などで、周囲に血液が付着したときなど。
手袋を着用して行ったすべての処置・ケアの後には、衛生的手洗いを行う。	ドレーン内容物を扱った後など、手袋使用後。
生体物質・創部・粘膜に触れた後は、直ちに手洗いをする。	血液や尿が皮膚に付着したときなど。
生体物質により衣服が汚染される可能性のあるときには、非透過性の素材のアイソレーションガウンやプラスチックエプロンを着用する。	陰部ケア、リネンなど周囲も汚染された排泄ケア時など。
生体物質が飛散して目、鼻、口を汚染する可能性があるときは、マスクやゴーグル、シールド付きマスクなどで顔面を保護する。	救急場面、むせこみの強い気管切開患者の口腔ケア時など。
体液汚染のあるリネン類は、非透過性のプラスチック袋または水溶性ランドリーバッグに収納し、素手で触れないよう運搬する。	滲出液・失禁などのため、汚染されたシーツなど。
穿刺操作時には、体液や血液を飛散させないようにする。	止血用のアルコール綿やガーゼをすぐそばに用意しておく。
患者の血液が付着する注射針はリキャップせずに、専用の耐貫通性の廃棄容器に捨てる。 針刺し事故防止用の工夫がされた安全装置付き注射用器材の導入が推奨される。	採血時には、持ち運び用の廃棄容器を持参する。
血液由来病原体の曝露を受けた場合は、関係部署に速やかに報告して指示を仰ぐ。	針刺しや体液が目に入ったとき、感染対策部署へ連絡。
ワクチンで予防可能な疾患(B型肝炎など)に対しては、医療従事者は積極的にワクチン接種を行う。	定期健康診断時にB型肝炎抗原抗体価を調べ、ワクチン接種を検討する。麻疹、風疹、ムンプス、水痘など。

※文献2のp81・83をもとに作成

手指衛生

手指衛生は感染予防の基本であり、大きな役割を果たす。
全員が遵守することで成り立つため、
各人が常に意識して行うことが必要となる。

目的 手指に付着した汚れや微生物、あるいは皮膚常在菌を除去する。

清潔度からみた手洗いの種類

（文献4を図式化、一部改変）

社会的手洗い （日常的手洗い）	普通の石けんと流水を使用して、汚れを洗い流す。	食事前、排泄後、勤務開始前・終了後など。
衛生的手洗い	石けんと流水で行い、汚れや皮膚表面に付着している菌を洗い流す。汚染がはなはだしいときなど、必要に応じて消毒薬を用いる。通常、10～20秒間行う。	処置などの医療行為の前後など。
手術時手洗い	手指に付着する皮膚通過菌を極力除去し、皮膚深部に常時生息する菌も、減少させる。	手術時など。

手洗い時の使用薬剤による分類

（文献4を図式化、一部改変）

流水と非抗菌性石けんによる手洗い		目に見える汚染、および蛋白性物質による汚染がある場合には、最初に温湯で手を濡らし、3～5mLの製剤を用いて少なくとも15秒間洗う。
流水と抗菌性石けんによる手洗い		体液・分泌物・粘膜などに触れた後、目に見える汚染のある場合やアルコール製剤に過敏な場合、3～5mLの製剤を用いて少なくとも15秒間洗う。
速乾性擦式消毒薬による手指消毒		● 患者の健常な皮膚に接触した後 ● 体液・分泌物・粘膜・非健常皮膚への接触や創処置の後に目に見える汚染がない場合 ● 患者周囲の環境設備（ベッド柵など）に触れた後 ● 易感染患者（好中球減少・免疫抑制など）のケアをする前 など

CHAPTER 2

PROCESS 1 衛生的手洗いの方法

石けんと流水で手を洗い、汚染がはなはだしいときなど、必要に応じて消毒薬を用いる。
通常、10〜20秒間行う。

❶ 手洗いを行う前に、腕時計・指輪を外す。爪は常に短く切っておく。

EVIDENCE
- 米国CDCでは、指輪の下の皮膚は汚染（コロニー形成）されているが、それが病原体の伝播を増やすかどうかは不明と報告している（文献3）。
- 日本では、日常的な手袋の装着が完全には習慣化されていないため、指輪は外したほうがよい。

❷ 流水で手をもみ合わせて、濡らす。

❸ 石けんを適量、片方の手のひらに取る。

EVIDENCE
- 温水で頻回に洗うと皮膚炎のリスクがあるとの報告がある（文献3）。

POINT
- 液体石けんは、使いきりに。詰め替えは行わない。

POINT
- レバー式の場合は、手でレバーを汚染させないよう、肘で水栓を開けて流水させる。手洗いの間、そのまま流水させておく。

感染予防の技術

❹ 両手のひらをもみ合わせ、石けんをよく泡立てる。

POINT
■ 右手・左手と上下を変えて、洗う。

❺ 手の甲を片手ずつ、こすって洗う。

POINT
■ 爪は、洗い残しやすいので注意！

❻ 片方の手のひらに、もう片方の手の爪をこすりつけて洗う。反対側の手の爪も同様に洗う。

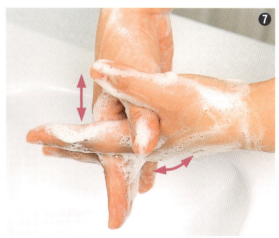

❼ 指を開いて、両手の指の間をこすり合わせて洗う。

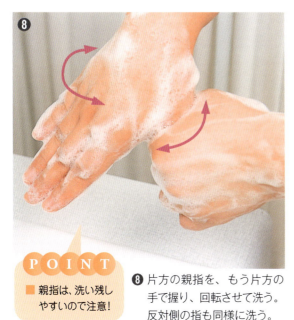

POINT
■ 親指は、洗い残しやすいので注意！

❽ 片方の親指を、もう片方の手で握り、回転させて洗う。反対側の指も同様に洗う。

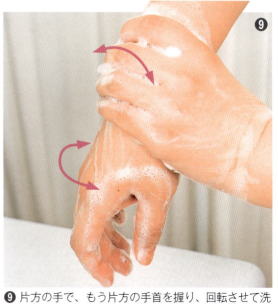

❾ 片方の手で、もう片方の手首を握り、回転させて洗う。反対側の手首も同様に洗う。

CHAPTER 2

❿ 手洗いと同様の動作で、十分にすすぐ。

⓫ 紙タオルで、水分を指先から順に拭き取り、水を止める。

POINT
- 手首・指の間・爪の先も忘れずに！

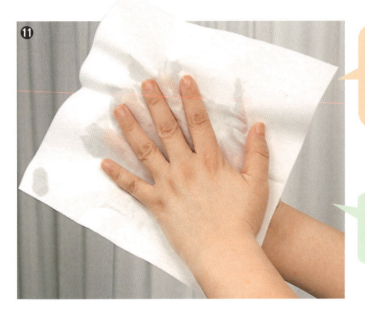

POINT
- 水滴が逆流しないよう、指先は上に向けたまま拭く。
- 水分を完全に拭き取って乾かす。
- 1回ごとに紙タオルを2枚以上、使用する。

EVIDENCE
- 皮膚を湿潤状態にすると、細菌繁殖の原因となる。
- 水分除去とともに、細菌も除去している。

POINT
レバー式の場合、蛇口式の場合

- レバー式の場合は、肘で流水を止める。
- 蛇口式の場合は、紙タオルを用いて蛇口をひねり、流水を止める。
- 蛇口は汚染されたものとして扱う。

感染予防の技術

PROCESS 2 速乾性擦式消毒薬

目に見える汚染がない場合は、消毒薬を用いた手洗いに代わることができる。

適応（目に見える汚れがない場合）
1. 脈拍測定など、患者の皮膚に直接触れる前後。
2. ベッド柵など、患者のすぐ近くの物品に触れた後。
3. 清拭などケアを行う前。

■速乾性擦式消毒薬が主流となってきた理由（文献5を図式化）

速乾性擦式消毒薬	手洗い
●短時間で、手指付着菌が減少。	●臨床場面での手洗い時間は7秒前後であり、十分に時間をかけられない。
●特別な設備は不要。	●手洗い設備が必要。
●皮膚軟化剤配合が可能。	●手洗い後、手荒れ対策にクリームを塗布する必要がある。

＊ ただし、アルコールには汚染物質を除去する能力はなく、目に見える汚染がある場合は、まず流水と石けんによる手洗いを行う。

■速乾性擦式消毒薬の種類

抗菌スペクトルの違いや、エモリエント（皮膚保護）剤配合の有無といった成分の違いや、液体、ジェルタイプなどさまざまな種類がある。

主な成分	
●イソプロパノール＋エタノール	●フルコン酸ヘキシジン＋エタノール
●塩化ベンザルコニウム＋エタノール	●ポビドンヨード＋エタノール

速乾性擦式消毒薬使用上の留意点	
●血液などの有機物は作用を弱めるので、目に見える汚れは必ず洗い流して使用する。	
●石けん成分は作用を弱めるので、事前に石けんを用いて手洗いを行った場合は、石けん成分をしっかり洗い流す。	
●過敏性皮膚反応	①アルコール製剤に対するアレルギー反応
	②アルコールによる皮膚損傷部への刺激症状
●引火性のため火気に注意する。	

POINT
- 手洗いと同様の動作で、手指全体にまんべんなく塗布する。
- 消毒薬が乾燥するまで、こすり合わせる。

うっかり！
- 目に見える汚れをつけたまま、使用してしまった！
→ 石けんと流水で、目にみえる汚れを落としてから使用。

禁忌！
引火性あり！　火気の近くに置かない。

CHAPTER 2

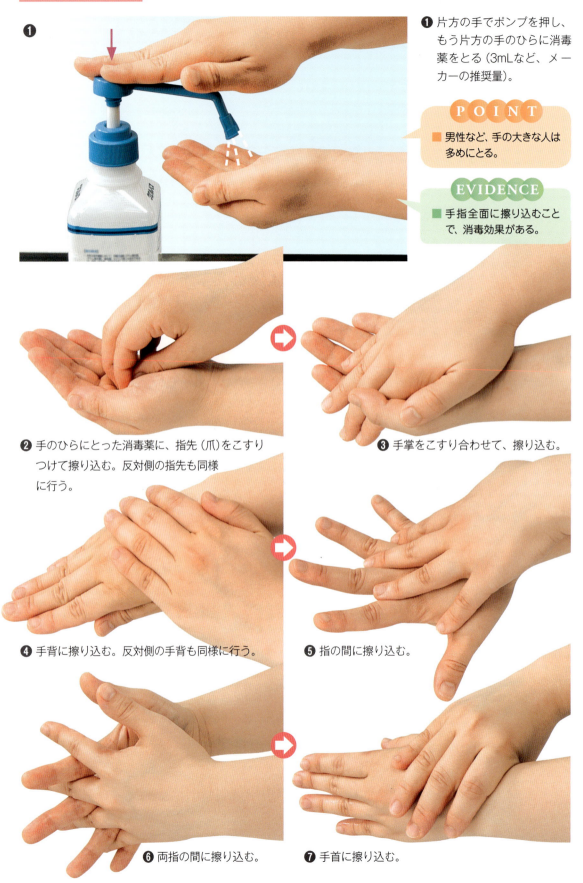

❶ 片方の手でポンプを押し、もう片方の手のひらに消毒薬をとる（3mLなど、メーカーの推奨量）。

POINT
- 男性など、手の大きな人は多めにとる。

EVIDENCE
- 手指全面に擦り込むことで、消毒効果がある。

❷ 手のひらにとった消毒薬に、指先（爪）をこすりつけて擦り込む。反対側の指先も同様に行う。

❸ 手掌をこすり合わせて、擦り込む。

❹ 手背に擦り込む。反対側の手背も同様に行う。

❺ 指の間に擦り込む。

❻ 両指の間に擦り込む。

❼ 手首に擦り込む。

防護具の使用

防護具（PPE：Personal Protective Equipment）とは、手袋、マスク、アイ・プロテクション、フェイス・シールド、ガウンなどである。
通常は、滅菌する必要はなく、清潔なものを使用する。
無菌操作時には、滅菌されたものを使用する。

目的
1. 患者から医療者への感染（病原体の伝播）のリスクを減らす。
2. 医療者から患者への感染（病原体の伝播）のリスクを減らす。
3. 医療者が、患者から患者への病原体の媒介者となるリスクを減らす。

PROCESS 1 手袋の取り扱い

手袋は患者ごとに使用し、同じ患者でも処置内容や部位が違う場合は変える必要がある。ここでは感染予防に留意した手袋の外し方を紹介する。

■手袋の使用

非滅菌手袋	滅菌手袋
●体液や滲出液を扱うとき 　①採血、口腔ケア、排泄ケア 　②痰や血液を拭き取るとき 　③ドレーン（内容物）廃棄時　など ●医療者の手指に創傷があるとき ●汚染された物品やリネン類を扱うとき	●無菌的処置時 　①手術 　②中心静脈カテーテル挿入 　③尿道カテーテル挿入 　④骨髄・腰椎穿刺 　⑤気管内吸引　など

手袋の外し方

処置後、手袋を外す際の汚染に注意が必要である。
❶ 手袋の手首のあたりを把持する。

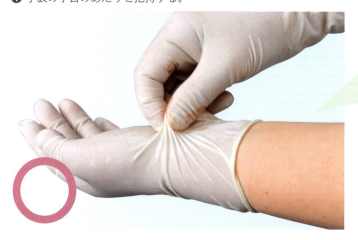

EVIDENCE
■ 手袋の端をつかんだり、手袋と手の間に指を入れると、汚染の原因になる。

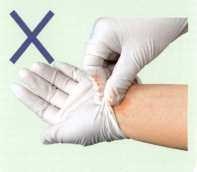

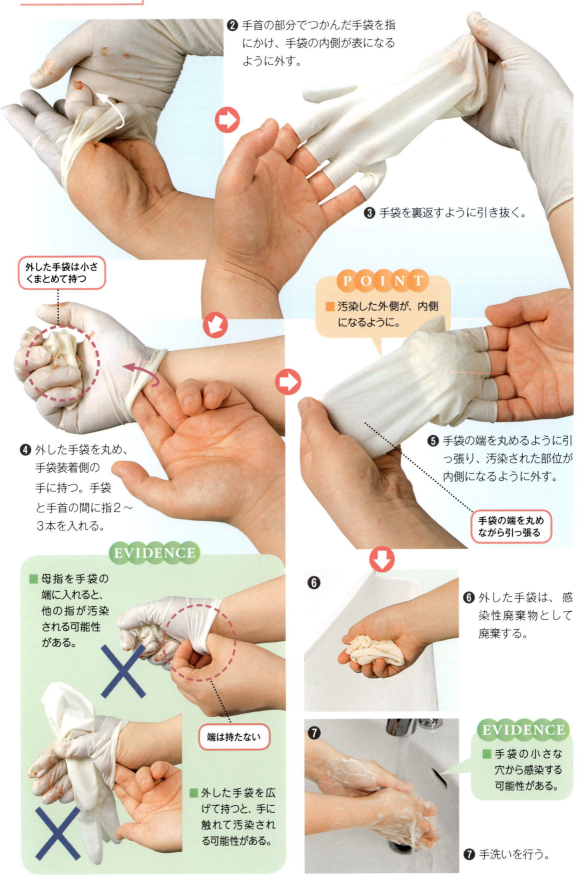

感染予防の技術

PROCESS 2 ガウンの取り扱い

2-4

ガウンは処置や検査、ケアなど、生体物質が衣服に付着する可能性のある際に使用する。ここでは感染予防に留意した脱ぎ方を紹介する。

■ガウンの使用

非滅菌ガウン	滅菌ガウン
●救急時、排泄ケアや汚染区域でのケアなど、血液・体液などが衣服に付着する可能性のあるとき	●手術や中心静脈カテーテル挿入といった無菌操作が必要な処置・検査時

ガウンの脱ぎ方

処置後、ガウンを脱ぐ際の汚染に注意が必要である。

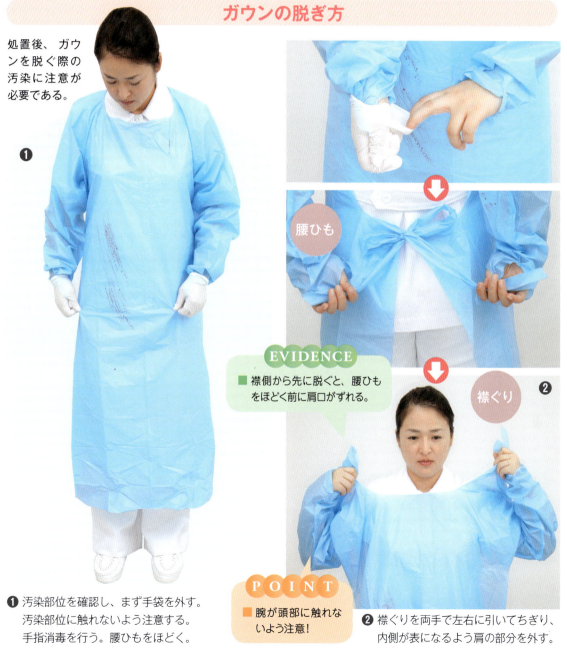

EVIDENCE
■ 襟側から先に脱ぐと、腰ひもをほどく前に肩口がずれる。

POINT
■ 腕が頭部に触れないよう注意！

❶ 汚染部位を確認し、まず手袋を外す。汚染部位に触れないよう注意する。手指消毒を行う。腰ひもをほどく。

❷ 襟ぐりを両手で左右に引いてちぎり、内側が表になるよう肩の部分を外す。

CHAPTER 2

POINT
- ガウンの外側に素手で触れない。

❸ 片方の袖口に、もう片方の手の第2・3指を入れ、腕を抜く。

❹ 袖を介して反対側の袖をつまみ、腕を抜く。

❺ 両袖の中から、内側が表になるようガウンを小さくたたんでいく。ガウンの汚染部分を中に巻き込む。

❻ 脱いだガウンは感染性廃棄物として廃棄し、汚染物質の拡散を防ぐ。

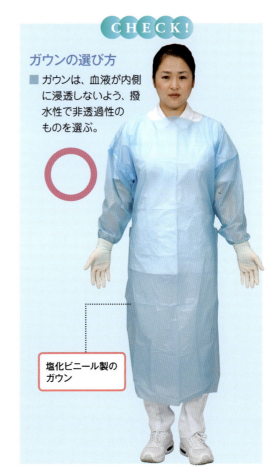

CHECK!

ガウンの選び方
- ガウンは、血液が内側に浸透しないよう、撥水性で非透過性のものを選ぶ。

塩化ビニール製のガウン

POINT
- ガウンをたたむ際、ユニホームにガウンが触れないように注意。

— 感染予防の技術

滅菌物の取り扱い

滅菌物の取り扱いには、使用する物品や対象となる部位に
微生物がいない状態を保つ手技（無菌操作）が必要である。

■基本的な注意

- 滅菌物を扱う全員が、無菌操作で行うことが前提である。
- 一度取り出した未使用の滅菌物は、廃棄するか、再度滅菌する。
- 無菌操作中は滅菌物上での会話は避け、必要時マスクをするなど、飛沫感染に留意する。また、滅菌物上で物を移動させるのも避ける。
- 滅菌物を扱う場所は、周囲が不潔な場所や不安定な場所、人の出入りの多い場所などは避ける。

PROCESS 1 滅菌パックの開け方

2-5

❶❷ 手洗い、もしくは手指消毒を行い、滅菌物の滅菌保証期限を確認。パックに破損や汚れがないことも確認する。

少しでも汚れ、破損がある場合は滅菌物として扱わない。

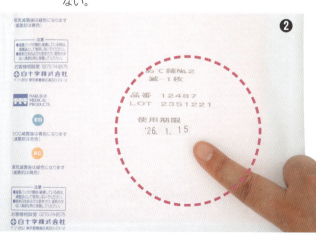

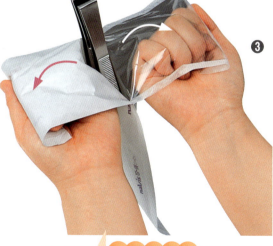

POINT

- 折り返したまま、片手で把持できるぐらい開く。
- 折り返しが元に戻り、不潔にならないよう注意！

❸ 鑷子の把持側から、両手で滅菌パックを開く。

感染予防の技術

PROCESS 2 滅菌包の開け方

2-6

縫合セット

鑷子

❶ 手洗い、もしくは手指消毒を行う。

❷ 環境を整え、滅菌物を広げられる場所を確保。作業しやすい空間を用意する。

POINT

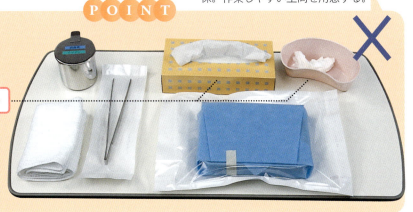

- 日用品などを置いたまま滅菌物を広げると、汚染の可能性がある。

  日用品などと一緒に置かない

- 机の端に積み上げた雑誌が、広げた清潔野に崩れ落ちることなどがないよう注意！

❸ 滅菌保証期限を確認する。
  滅菌パックを片側から開き、縫合セットの下に静かに手を入れて取り出す。
  この際、包布の端が手前にくるようにする。

POINT

- 包布の端が手前にくる向き。
- 下側以外の滅菌包には触れない。
- 必ず滅菌保証期限を確認。

CHAPTER 2

❹ 常に、包布の外側の端を持ち、ゆっくりと開いていく。

POINT
- 最初、あるいは途中で手前に包布を開くと、体が触れて不潔になりやすい。
- いちばん上にきている折り返しから開いていく。
- 開いた包布が戻ってこないよう、しっかり開く。
- すぐに次の部分を開けば、戻りにくい。

うっかり！
- 折り返しの内側を持ってしまった！
- → 必ず、外側になる折り返し部分を持つ。

❺ 外側の包みを開いたら、次は鑷子を取り出し、鑷子を用いて残りの包布を静かに開いていく。

POINT
- 鑷子ではなく、処置者が滅菌手袋を装着して開く場合もある。
- 外側になる折り返し部分をきちんと持っていれば、手で開いてもよい。

❻ 包布を完全に開く。

POINT
- 開いた内側は清潔野である。包布に触れないことはもちろん、周囲で会話をしないよう注意。
- 清潔野の上で、滅菌物以外の物をやりとりするのも禁物！

感染予防の技術

PROCESS ③ 消毒薬の取り出し方

CHAPTER 2 感染予防の技術

消毒薬含有綿球

鑷子

POINT
- 綿球入れのふたは、常時、閉じておく。空気中のほこりや微生物の落下・混入、乾燥を防ぐためである。

❶ 手洗い、もしくは手指消毒を行う。

❷ 鑷子は上1/3の部分を持ち、先端を閉じたまま取り出す

❷ 消毒薬含有の綿球と、鑷子を用意する。鑷子の滅菌パックを開き、鑷子を取り出す。

❸

ふたの付け根を押して開ける

EVIDENCE
- ふたを持って開けると、容器の内側に触れる可能性がある。

❸ 綿球入れのふたを開ける。この際、ふたの付け根を押して開ける。

❹

EVIDENCE
- 消毒薬を容器の上部でしぼると、縁に触れて汚染させる可能性がある。

POINT
- 消毒薬は容器の下部でしぼる。

撮影用に、透明な容器を使用している。

POINT
- 消毒薬がしみこみすぎていると、受け渡しの際や、創部に塗布した際、リネンなどに垂れて周囲を汚染する。
- 綿球を取り出す際、容器の縁に触れないよう注意。

うっかり!
- 頭部の創から消毒薬が垂れ、目に入りそうになった！ → 消毒薬は、垂れないようしぼって渡す。

❹ 綿球の端をつかみ、取り出したらすぐにふたを閉める。綿球に消毒薬がしみこみすぎている場合は、容器の内側の壁でしぼる。

CHAPTER 2

❺ 消毒薬を処置者に渡す際は、鑷子の先端を下に向け、かつ片手を添える。

❻ 渡す側（介助者）が綿球の上、受け取る側（処置者）が綿球の下を把持し、両鑷子の先端が触れないように注意する。渡す側は、受け取る側が綿球の下を確実につかんだら、離す。

EVIDENCE
- 鑷子を上に向けると消毒薬が把持部まで垂れ、再び下に向けると垂れた消毒薬が元に戻って不潔。

POINT
- 両鑷子の先端が触れないように注意！

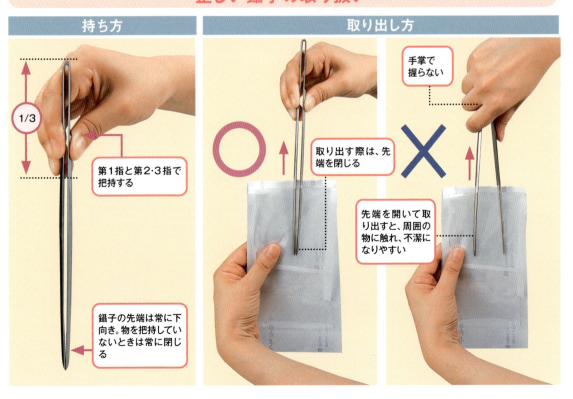

正しい鑷子の取り扱い

持ち方
- 1/3
- 第1指と第2・3指で把持する
- 鑷子の先端は常に下向き。物を把持していないときは常に閉じる

取り出し方
- ○ 取り出す際は、先端を閉じる
- × 手掌で握らない
- 先端を開いて取り出すと、周囲の物に触れ、不潔になりやすい

感染予防の技術

PROCESS 4 滅菌手袋の装着法

❶ サイズの合った手袋を選択。手洗いを行い、水分をよく拭き取る。

POINT
- サイズの合った手袋を選択する。
- 爪は、短く切っておく。

EVIDENCE
- 手洗いは、手袋に欠陥のある場合に備え、必ず行う。
- 水分があると、手袋を装着しにくい。

❷ 滅菌パックの上部を開き、手袋の包みを取り出す。

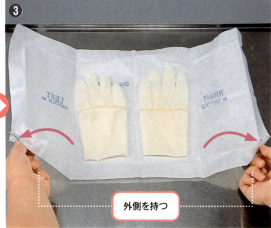

❸ 包み紙の内側に触れないよう、外側を持って広げる。

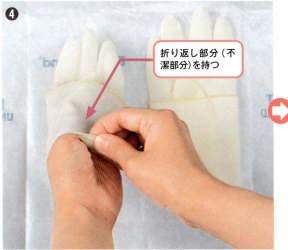

折り返し部分（不潔部分）を持つ

❹ 手袋の折り返し部分を持って、手を通す。

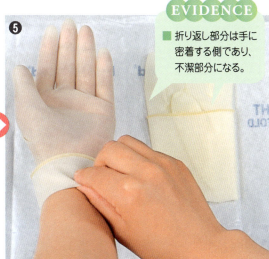

EVIDENCE
- 折り返し部分は手に密着する側であり、不潔部分になる。

❺ 折り返し部分を手首まで引き上げる。

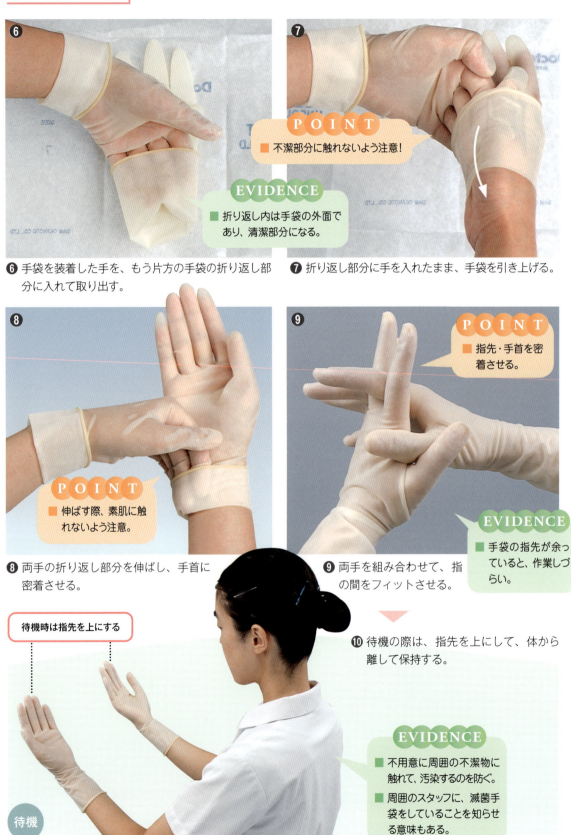

感染予防の技術

感染予防の技術〈手洗い・手袋〉 Q&A

Q 手洗いに時間をかけられない場合は？

A まずは、確実に汚れを落とすことが大切。15秒以上といった数字は、あくまで目安と考える。洗い残しがないよう、手指全体を洗うとこのぐらいの時間がかかる（文献5）。下の写真を参考に、洗い残しやすい母指や指間、指先を意識して洗うとよい。

速乾性擦式手指消毒薬を組み合わせると、時間が省略できる部分もある。

Q 手袋の選択で気を付けることは？

A 手袋は用途、サイズ、素材で選ぶ。
素材の種類はビニール製、ラテックス製（天然ゴム）、ニトリル製（人工ゴム）がある。耐久性にはゴムが優れているが、アレルギーの症例報告も増えている（文献8）。
また、パウダーの有無もアレルギーや質感に影響する。手袋は、用途と値段を考慮して、素材を選択する。

うっかり！
- 排泄ケア中に回診が始まり、手を洗う間もなく、包交介助につくことになった！
- → 感染予防のため、手洗いは必須。その旨を告げて、手洗いを行う。

洗い残しやすい部位は？

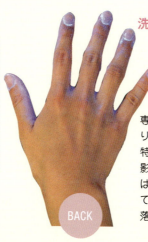
BACK

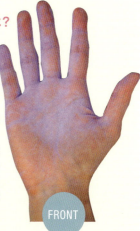
FRONT

専用のクリームを手に塗り、手洗いをした後に、特殊なライトを用いて撮影した。光っている部分は、クリームが除去できていない、つまり汚れが落ちなかった部分である。

Q 手荒れによい洗浄剤、スキンケアは？

A 各手指洗浄剤や手指消毒薬の特性と作用を検討し、併用してもよいハンドクリームやローションを使用する。
スキンケア製剤はチューブ式を選択。共用は避け、個人で使用する。
手荒れの原因は洗浄剤の脱脂作用だけでなく、石けん分の洗い残し、水温、紙タオルの使用法、手袋の素材などもある。
手荒れがあると、その部分の細菌汚染が増加するため手袋を着用し、手荒れ部の保護と細菌伝播の防止を行う。

Q 手袋は常時、携帯したほうがよい？

A 非滅菌の手袋を1組、携帯しておくと便利である。突然、止血が必要な場合など、緊急時にも対応できる。
スペースがあれば、各部屋ごとに、手袋を1箱ずつ置くとよい。

うっかり！
- 手袋を装着したら、破れてしまった！
- → 力を加えすぎた？　サイズが小さかった？　爪が伸びていた？
- すぐに新しいものに取り替える。

感染予防の技術〈ガウン〉

Q ガウンと手袋を着用する場合、どちらを先につけ、どちらを先に脱ぐ？

A 滅菌の有無、汚染の程度にも左右されるが、基本的に、着用時はガウン→手袋、脱ぐときは手袋→ガウンの順に行う。

着用時	脱ぐとき
① ガウン ↓ ② 手袋	① 手袋 ↓ ② ガウン

Q 滅菌ガウンの着方は？

A 1人で着用する場合は、ガウンを広げられる空間で、滅菌パックから襟元をつかんで取り出す。
① 両手を両袖に入れ、両手を上げて袖口に向かって手を通す。
② 一度に手が出ない場合は、袖の内側から反対側の手で袖を引く。
③ 襟ぐりを持って肩を合わせ、襟をとめる。
④ 腰ひもをしばる

襟元を持つ　両手を通す

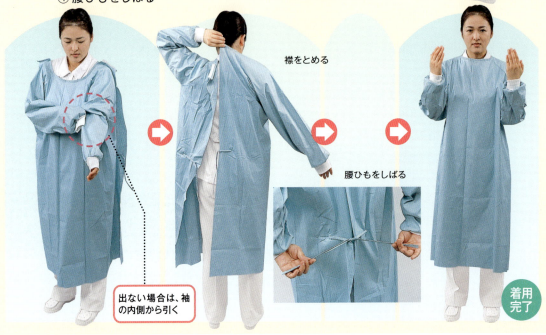

出ない場合は、袖の内側から引く　襟をとめる　腰ひもをしばる　着用完了

感染予防の技術〈無菌操作〉 Q&A

Q 滅菌パックを開けてしまったが、内側には触れなかったので、元通り封をし処置を待ってもよい?

A 一度開けてしまうと滅菌物ではなくなるため、使用することはできない。時間がたてばたつほど、外気にさらされて汚染リスクは高まる。
周囲の物を片付けるなど、環境整備や手洗いを先に済ませ、滅菌物は処置開始時に開封する。

片方の端から少しずつ開ける

Q 滅菌ガーゼを上手に開ける方法は?

A 大きな滅菌パックに入ったガーゼの場合、一度に開けると開け口が広く、途中で破れてしまい、きれいに折り返せない場合がある。
片方の端を少し開け、もう片方の端を少し開けてから、中央を両手で開くときれいに折り返すことができる。

POINT
■ 大きな滅菌パックは、両端を少し開けてから、中央を開くときれいに折り返せる。

上 1/3

Q 鑷子を持つ際、上部1/3を持つのは、なぜ?

A 鑷子の下方を持つと、創部を消毒する際など、小指などが創部に触れてしまうことがある。
鑷子を取り出す際は、上部1/3の部分を持つことを意識し、習慣づける必要がある。
また、鑷子の先端は必要時以外は、常に閉じて把持する。

POINT
■ 鑷子は、上1/3を持つ習慣を!

CHAPTER 2

Q 万能つぼ入りの消毒薬は、汚染されている？

A 消毒薬の微生物汚染、万能つぼの洗浄・滅菌コストの面から、ディスポーザブル製品が使用されるようになってきている。ただし、全面的な導入は、使用頻度・使用量の大きい施設では、コスト的に難しい面がある。
ICUなどのように、易感染患者が多く、創傷処置・ライン挿入など感染の危険性が高い場所で使用するなど、コスト面を試算しながら、少しずつ導入していくのも1つの方法である。
万能つぼ汚染報告（文献9〜12）によれば、消毒薬の特性にも左右されるが、同一容器での消毒綿の長期使用、消毒薬のつぎ足し、不潔な取り扱い（素手で取り出すなど）が指摘されており、改善が求められる。
消毒薬の特性により交換時期も示されている（文献13・14）ので、参照するとよい。

CHECK！ 万能つぼ汚染報告

次のような使用法は、消毒薬の微生物汚染につながるため、禁忌である。

× 同一容器の長期使用　　× 消毒薬のつぎ足し　　× 不潔な取り扱い

Q 消毒綿のディスポーザブル製品には、どんなものがある？

A 消毒綿球のパックや綿棒タイプのディスポーザブル製品がある。いずれも容器の滅菌・消毒の必要がなく、感染のリスクが減少する。

POINT
■ 綿球が滅菌パックされているので、容器の洗浄・滅菌が必要ない。

POINT
■ 1回使い切りタイプなので、感染リスクが減少する。

滅菌パック／消毒薬を含ませて使用する

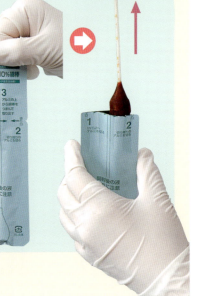

綿棒タイプ

― 感染予防の技術

? あなたならどうする? 　　　　複合事例①

北本春子さんは80歳の女性。
脱水・発熱・腹痛の症状があり、**感染力の強い**胃腸炎と診断され、個室に入院となりました。

接触感染に注意する必要があります。

体温が38℃、**下痢**が続いており、**食欲もありません**。
意識はしっかりしています。

あなたは、北本さんの検温を行うため病室に向かいます。

感染防止のため、あなたはどのような防護を行いますか?
検温終了後、退室時に、どのような順番に防護具を外しますか?
その理由は?　気を付けることは?

対応例

- 北本さんの病室内は汚染区域とみなし、北本さん自身への接触および、その他、物品・機材などを介した接触感染に注意する。そのため、北本さんの病室に入る前には、①手洗いを行う。②防護具として、マスク・キャップ・ガウン・手袋を装着する。

- 北本さんには、感染力が強いため防護具を着用していることを十分に説明する。「医療者を介して、他の部屋の患者さんに、菌が広がるのを防ぐために、このようなかっこうをしています」など。北本さんがわかる言葉で、隔離されて孤独感や疎外感を抱かないような言葉を選ぶ。

- 血圧計・体温計など、病室内で使用した器具、機材は室外に持ち出さない。

- 退室時は室内で、「手袋→キャップ→ガウン→マスク」の順に外す。手を洗い、退室する。

- まず、北本さんの体に接触している手袋を最初に外す。その後、キャップの内側に指を入れ、汚染された外側には触れずにキャップを外す。ガウンも、ひものみに触れ、前身ごろなど患者に接触した可能性のある部分には触れずに袖を抜く。汚染された部分を内側に丸め、廃棄する。マスクは耳のゴムひも部分を持って外す。特に、便・吐物などに触れている場合には注意する。

CHAPTER 3 移動の援助

何気なくとる姿勢や身体の位置(体位)は、その人のそのときの全体性を表している。腹痛や倦怠感を言葉で表現せずとも、前屈姿勢でゆっくり歩行する姿全体がそれを表している。一方、意識的に何らかの体位をとることによって苦痛を和らげることもできる。

移動の援助は、それ自体が目的となることもあるが、多くの場合には身体を移動し、姿勢を整えた後に、食事・排泄・着替え・散歩など、さまざまな日常生活行動の起点となる。

目的 患者に備わる力や身体の自然な動きを活用しながら、姿勢を整え、移動を援助し、日常生活行動につなげる。

■日常生活行動・日常生活動作

人の身体活動の内容や範囲などに関する概念として、日常生活動作、日常生活行動、日常生活活動などの概念がある。

日常生活行動は看護学分野において頻用され、医学・リハビリテーション領域では日常生活活動(動作)が主流である。

いずれも、患者にどのような援助が必要なのかを考える際の重要な概念である。

日常生活行動 Daily Life Behavior	● 日常生活行動は、生命維持のための生理的欲求充足の行動だけにとどまらず、より高次の欲求を満たす社会生活維持のための行動を含み、文化や社会の影響を受け、その人らしさを反映するものとして示されている(文献1)。
日常生活動作 Activities of Daily Living	● 日常生活動作は、日本リハビリテーション医学会の定義によると、「ひとりの人間が独立して生活するために行う基本的な、しかも各人とも共通して毎日繰り返される一連の身体動作群をいう。」と定義されている。

■ボディメカニクス

「姿勢や動作にかかわる体の骨格と筋肉および内臓諸器官の力学的な相互関係のこと」(文献3)をボディメカニクスという。

これらを活用することによって、移動や体位変換などを実施する際、看護師自身の身体への負担を軽減し、効果的、かつ患者にも心地よく安全な援助方法を考慮することができる。

ボディメカニクスの活用	● 身体の支持面を広くとると姿勢が安定する。 ● 重心を低くすると姿勢が安定する。 ● 大きな筋群を使うと小さな力で効率的に作業できる。 ● 重心の移動を利用することで、小さな力で効率的に作業ができる。

移動の援助

■さまざまな体位とその特徴

体位	看護援助場面の例	特徴
立位	男性の排尿介助	●支持面が狭いため姿勢は安定しにくい。
仰臥位	臥床時の洗髪・排泄介助	●支持面が広いため、姿勢が安定する。 ●足が尖足になりやすい。
側臥位	臥床時の着替え・清拭	●支持面が狭く姿勢が不安定になりやすい。 ●下側が圧迫され循環障害を起こしやすい。
シムス位	急変時、呼吸・循環の回復後にとる	●側臥位よりも支持面が広く安定しやすい。 ●嘔吐や誤嚥、気道閉塞を防止しやすい。
ファウラー位	食事・着替え・吸入療法・排泄介助 車椅子への移乗	●姿勢を保持できない人の場合、左右に倒れやすい。 ●下方足側にずれやすく、寝衣がよれ、仙骨部に摩擦が生じやすい。
端座位・座位		●横隔膜が下がり、呼吸しやすい。 ●怒責をかけやすい。 ●背面が開放されている場合、姿勢が崩れやすい。
骨盤高位	血圧低下時	●静脈還流が増加することによって血圧が上昇する。
截石位	陰部・肛門部の診察	●羞恥心を強く感じやすい。
腹臥位	腰背部の検査、腹臥位療法	●胸腹部・顔面を圧迫しやすい。

■良肢位の保持

- ●麻痺による四肢の筋緊張の固定化や拘縮などを予防する肢位を保持することを、良肢位の保持と呼ぶ(文献3)。
- ●看護師は、患者が自分で身体の向きを変えたり、保持できない場合、良肢位に保たれているのか注意し、クッションなどで整える。

CHAPTER 3

体位変換・ポジショニング

何らかの理由によって、自分自身で姿勢や体の向きを変えることのできない人には、その人にとって、その時に最適の体位や姿勢を提供することが重要である。
また、どのような安楽な体位であっても、長時間の同一体位は心身の苦痛をもたらすため、定期的に援助を行う。

■ポジショニングとは

ポジショニングとは、対象者の状態に合わせた体位や姿勢を工夫・管理することである。
工夫・管理は、安心と信頼を保ちながら看護師の手を介して提供されることであり、24時間の観察の中で、どのような時期、タイミングで提供するのが妥当かも考慮する。

ポジショニングの目的	❶ 人間としての尊厳 ❷ Quality of Life の向上 ❸ 現在もしくは将来的によりよい日常生活行動をとる ❹ 安楽 ❺ 気分転換 ❻ 廃用症候群の予防 ❼ 治療・検査時の安全、円滑に行うこと ❽ 合併症(二次障害)の予防 ❾ 寝返り、起き上がり、座る、立ち上がりなどからなる「動く」という動作を維持すること

体位変換・ポジショニング時のポイント(共通事項)

安全・環境を整える	●ベッド柵を外す、ベッドの高さを調整するなど、援助しやすいように周囲を整える。 ●疼痛や症状、安静度、筋力、関節可動域、意識レベルや認知力、ベッドサイド周囲の環境、医療器具など、患者の状況を事前に確認しておく。 ●できるだけ、上掛け、枕などはあらかじめ外す。 ●室温に配慮し、パジャマがはだけないように整える。 ●1人で実施する場合は、ベッド柵を活用し、患者の転倒・転落を防ぐ。 ●実施前後には手洗いを行う。
患者との相互作用	●身体に触れる前に、患者に声をかける。 ⇒声をかけることで患者が動くことに意識を向け、持てる力を発揮し、タイミングを合わせることができる。 ⇒不意に身体に触れられるのは不快であり、敬意を持って接する。 例:「今から、左向きになります。腰と肩を支えますので、1・2・3で左に向きましょう」 ●身体の位置を整えるときには、患者自身に心地よいかどうか尋ね、ともに安楽をつくる。 ⇒安楽な姿勢・体位は患者自身の感覚も非常に重要である。言語的・非言語的なコミュニケーションを通して、快・不快・安楽かどうか、常に患者と対話しながら進める。 ●身体に触れるときにはていねいに行い、不用意に持ち上げたり、引っ張ったりしない。
患者の力を生かす	●ボディメカニクスを活用し、患者・看護師がともに最小限の力で動くことができるようにする。 ●患者が自分でできるところは、自分でやってもらう。

仰臥位→側臥位

❶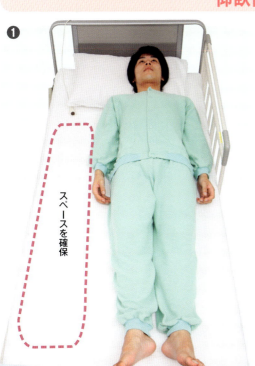

❶ 側臥位で向く方向に、十分なスペースを確保する。必要時、患者を水平移動させ、スペースをつくる。

❷ 側臥位で向く側に、患者の顔を向ける。

側臥位で向くほうに

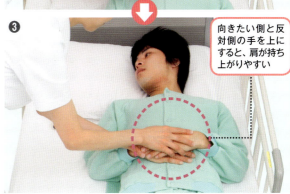

向きたい側と反対側の手を上にすると、肩が持ち上がりやすい

❸ 患者の両手を腹部に重ねる。

❹ 看護師は、患者の膝下に片手を差し込み、もう片方の手を足首に置く。

❺ 看護師は、膝下に入れた手とともに上体を起こすようにして、患者の両膝を立てる。

CHAPTER 3

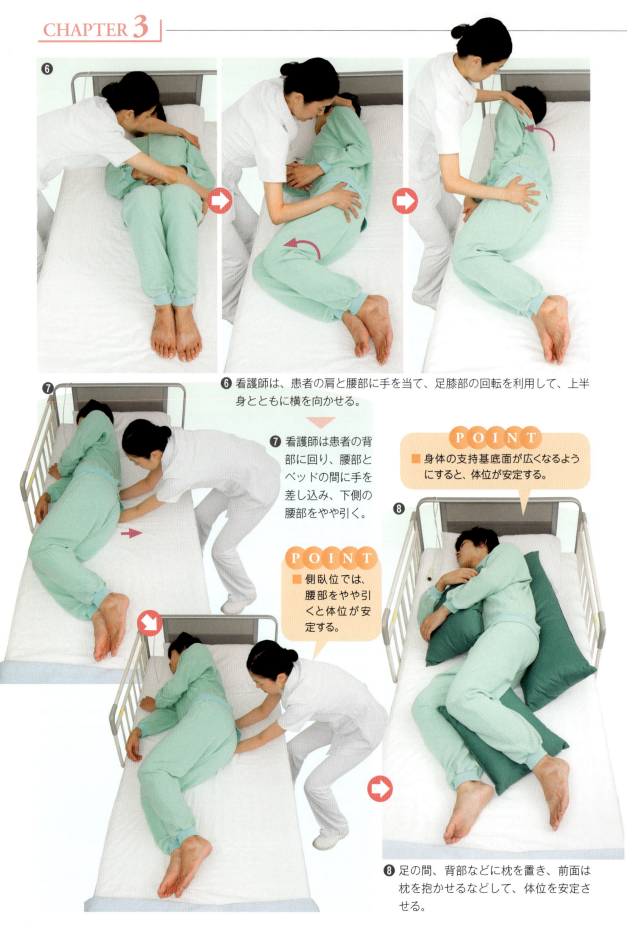

❻ 看護師は、患者の肩と腰部に手を当て、足膝部の回転を利用して、上半身とともに横を向かせる。

❼ 看護師は患者の背部に回り、腰部とベッドの間に手を差し込み、下側の腰部をやや引く。

POINT
■ 身体の支持基底面が広くなるようにすると、体位が安定する。

POINT
■ 側臥位では、腰部をやや引くと体位が安定する。

❽ 足の間、背部などに枕を置き、前面は枕を抱かせるなどして、体位を安定させる。

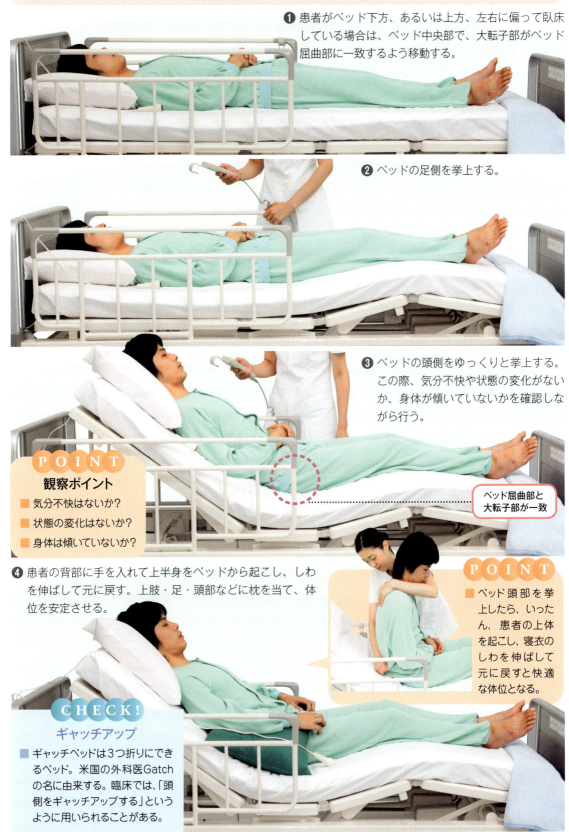

CHAPTER 3

仰臥位→端座位

3-2

❶ ベッドは、看護師のボディメカニクスを考慮し、援助しやすい高さに調整する。

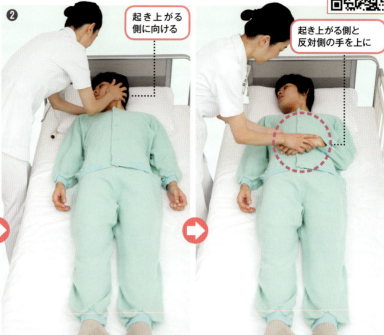

起き上がる側に向ける

起き上がる側と反対側の手を上に

❷ 患者の顔を看護師側に向け、向こう側の手を腹部に置く。

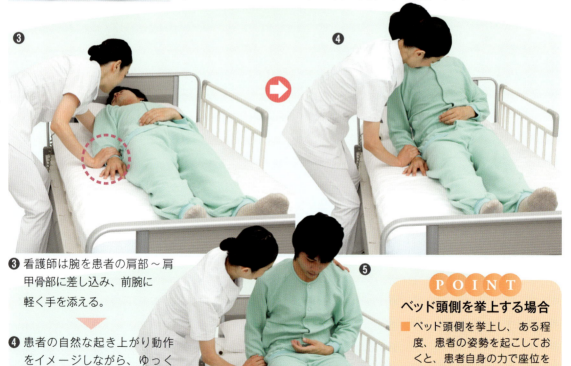

❸ 看護師は腕を患者の肩部〜肩甲骨部に差し込み、前腕に軽く手を添える。

❹ 患者の自然な起き上がり動作をイメージしながら、ゆっくりとカーブを描くように上体を起こす。

❺ 上体を起こし、座位を安定させる。

POINT
ベッド頭側を挙上する場合

■ ベッド頭側を挙上し、ある程度、患者の姿勢を起こしておくと、患者自身の力で座位をとることができる。

移動の援助

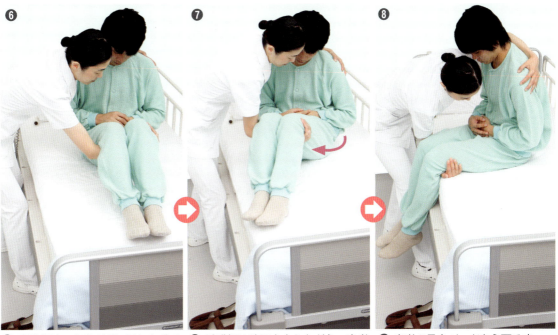

❻ 看護師は、患者の肩に回した手で背中を支えながら、もう片方の手で患者の両膝を立てる。

❼ 看護師は膝下を支えながら、患者の殿部を軸にして回転させる。

❽ 患者の足をベッドから下ろす。

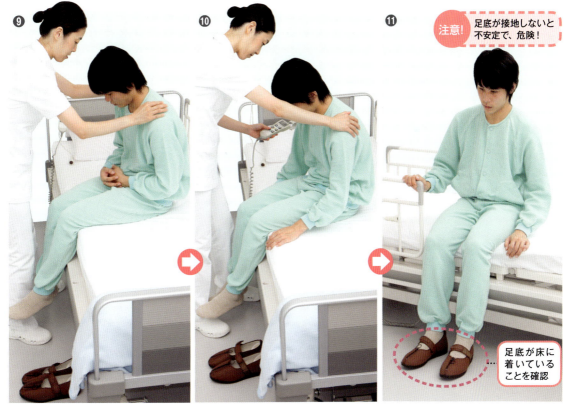

❾ 患者の両肩を支え、端座位を安定させる。

❿ 片方の手で患者の肩を支え、もう片方の手でリモコンを操作し、患者の足が床に接地する高さにベッドを調整する。

⓫ 患者に靴を履いてもらう。患者にベッド柵を持たせ、端座位を安定させる。

注意！ 足底が接地しないと不安定で、危険！

足底が床に着いていることを確認

CHAPTER 3

仰臥位からの水平移動

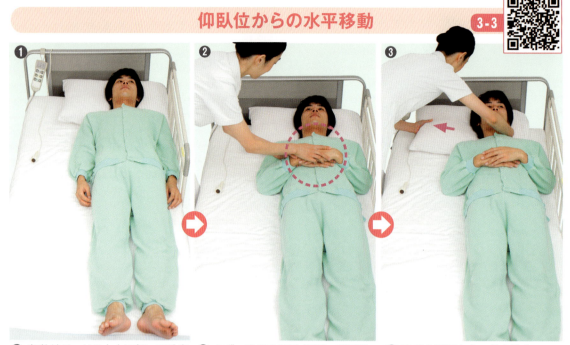

❶ 患者がベッドの左右に偏って臥床している場合は、水平移動により中央に戻す。

❷ まず、患者の両手を重ねて腹部に置く。

❸ 患者の頭部から、枕を外す。

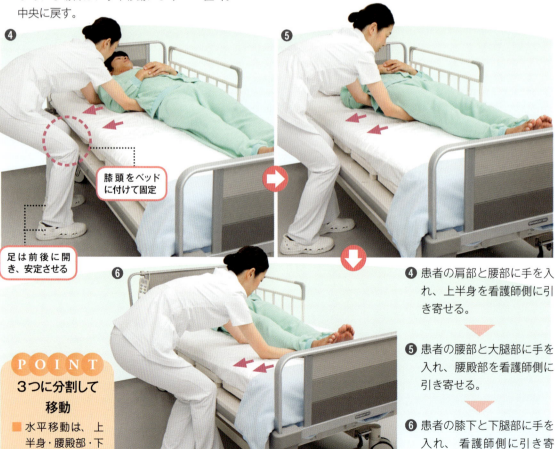

膝頭をベッドに付けて固定

足は前後に開き、安定させる

❹ 患者の肩部と腰部に手を入れ、上半身を看護師側に引き寄せる。

❺ 患者の腰部と大腿部に手を入れ、腰殿部を看護師側に引き寄せる。

❻ 患者の膝下と下腿部に手を入れ、看護師側に引き寄せ、下肢全体を整える。

POINT
3つに分割して移動

■ 水平移動は、上半身・腰殿部・下半身と3つの部分に分割して行う。

仰臥位からの上下移動

3-4

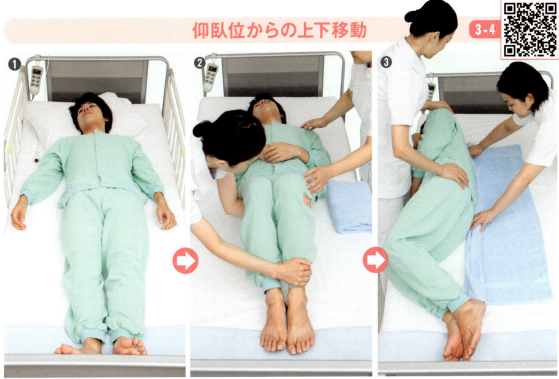

❶ 患者がベッド足側、もしくは頭側に偏って臥床している場合は、上下移動を行う。

❷ 看護師2人で、ベッドの左右両側から行う。1人が患者の両膝を立てる。

❸ 1人が患者を側臥位にし、もう1人の看護師が背部にバスタオルを敷く。

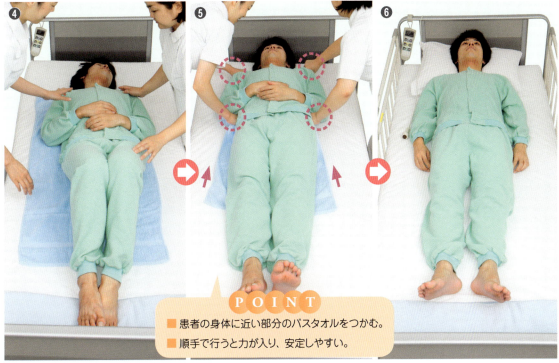

POINT
- 患者の身体に近い部分のバスタオルをつかむ。
- 順手で行うと力が入り、安定しやすい。

❹ バスタオルの上に、患者を仰臥位にして戻す。

❺ 両側から2名の看護師が、患者の肩関節部・股関節部あたりのバスタオルを持つ。
タイミングを合わせ、バスタオルを持ち上げ、上もしくは下に移動させる。

❻ 患者を側臥位にしてバスタオルを外し、仰臥位に戻す。枕を入れ、体位を整える。

CHAPTER 3

車椅子での移動

車椅子を用いた移動介助は、患者の状態と車椅子の機能、使用法を十分に理解して、安全に行うことが重要である。

■車椅子の構造

- 手押しハンドル
- バックサポート
- ハンドリム（自走式で本人が動かす）
- ティッピングレバー
- ストッパー（ブレーキ）
- アームレスト
- サイドガード
- シート
- フットレスト

車椅子は患者の安静度・座位保持時間、介助の必要度や理解力などに合わせて選択する。

POINT　車椅子の点検
- タイヤの空気圧は？
- フットレストの位置は？
- ストッパーが利いているか？
- シートに破損は？

PROCESS 1　車椅子への移乗

3-5

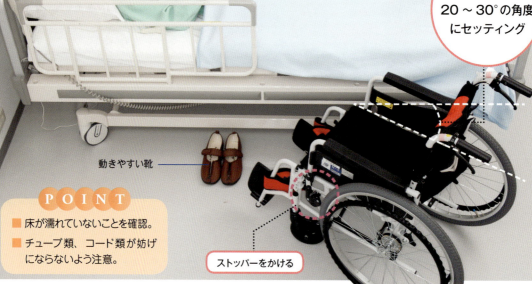

❶ 車椅子をベッドに対して20～30度の角度にし、患者の健側を軸にして移動できる位置に配置する。ストッパーをかけ、フットレストを上げる。

ベッドと車椅子は20～30°の角度にセッティング

動きやすい靴

ストッパーをかける

POINT
- 床が濡れていないことを確認。
- チューブ類、コード類が妨げにならないよう注意。

移動の援助

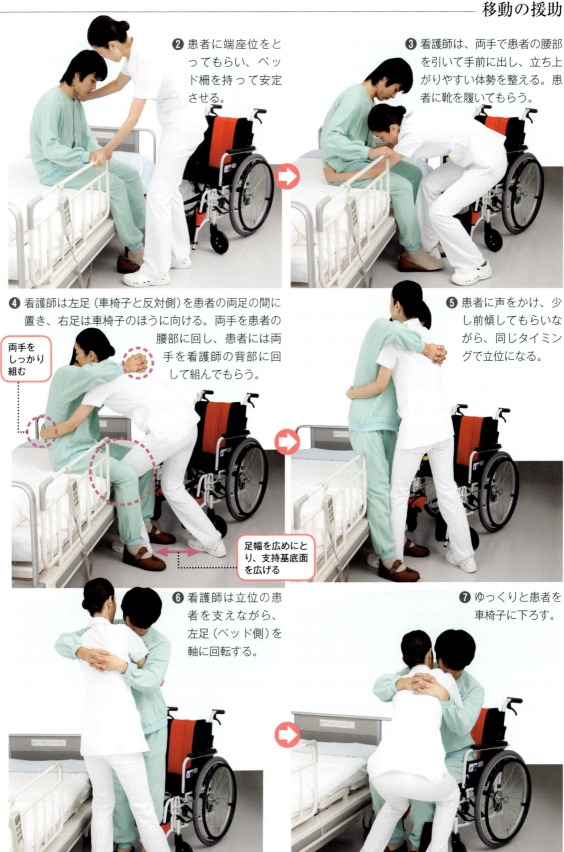

CHAPTER 3

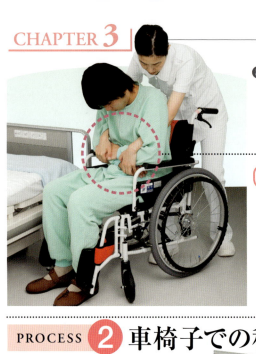

❽ 看護師は、患者の腋窩から腕を入れて上半身を起こし、車椅子に深く座らせる。

フットレストに足を乗せ、座位を整える。

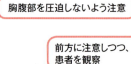
胸腹部を圧迫しないよう注意

前方に注意しつつ、患者を観察

PROCESS 2 車椅子での移動

患者の両足がフットレストにきちんと乗っていることを確認し、膝掛けで保温をはかり、ストッパーを外して移動を開始する。

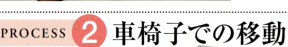
膝掛けで保温

チューブ類に注意

フットレストに足を乗せる

CHECK!
輸液ライン、酸素チューブに注意!

- 輸液ラインや酸素チューブが車椅子の車輪に絡むことがないよう、整理する。
- 輸液ラインや酸素チューブが、身体の下敷きになっていないか、確認する。

輸液ラインが車輪側に垂れている!!

絡むと危険!!

ストレッチャーでの移動

ストレッチャーを用いた移動の援助は、ベッドからストレッチャーへの移乗、ストレッチャーを用いた移動を安全・安楽に行うことが必要である。

■ストレッチャーの構造

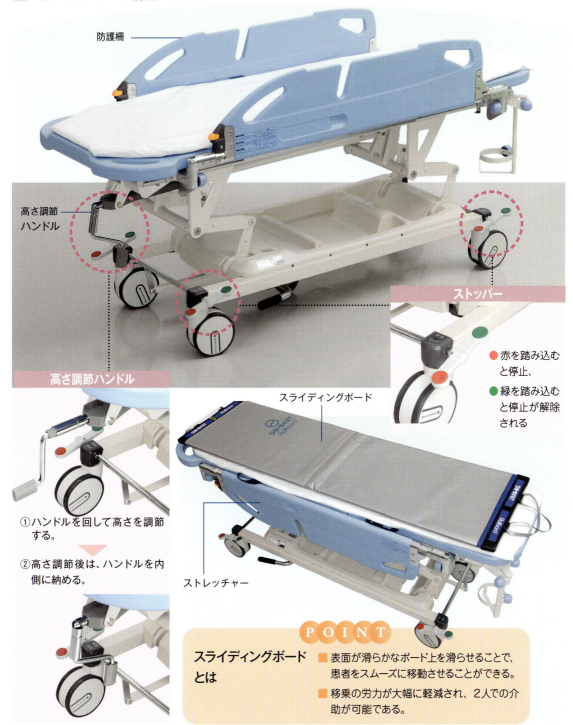

- 防護柵
- 高さ調節ハンドル
- ストッパー
- 高さ調節ハンドル
- スライディングボード
- ストレッチャー

① ハンドルを回して高さを調節する。
② 高さ調節後は、ハンドルを内側に納める。

- 🔴 赤を踏み込むと停止、
- 🟢 緑を踏み込むと停止が解除される

POINT

スライディングボードとは
- ■ 表面が滑らかなボード上を滑らせることで、患者をスムーズに移動させることができる。
- ■ 移乗の労力が大幅に軽減され、2人での介助が可能である。

CHAPTER 3

PROCESS 1 ベッドからストレッチャーへの移乗 3-6

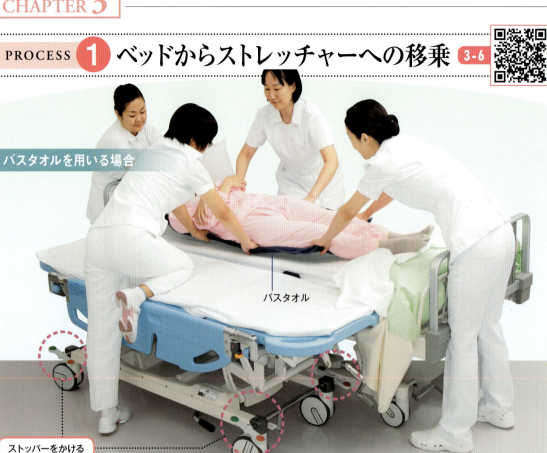

バスタオルを用いる場合

バスタオル

ストッパーをかける

❶ ベッドの高さをストレッチャーよりも少し高めにし、ストッパーをかける。

❷ 患者の下にバスタオルを敷き、看護師4人が頭側・足側・左右からバスタオルを把持する。

❸ 4人が息を合わせ、ベッドからストレッチャーに患者を移乗させる。

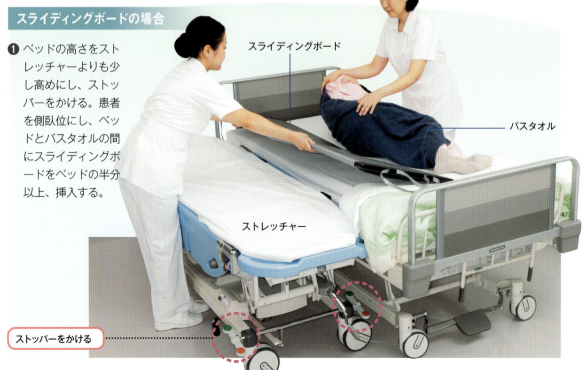

スライディングボードの場合

❶ ベッドの高さをストレッチャーよりも少し高めにし、ストッパーをかける。患者を側臥位にし、ベッドとバスタオルの間にスライディングボードをベッドの半分以上、挿入する。

スライディングボード

バスタオル

ストレッチャー

ストッパーをかける

移動の援助

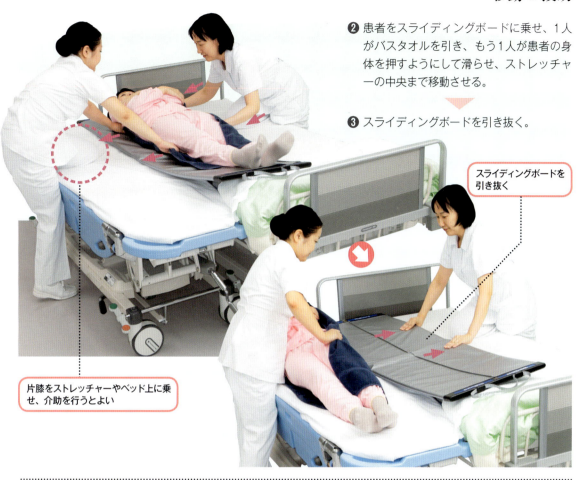

❷ 患者をスライディングボードに乗せ、1人がバスタオルを引き、もう1人が患者の身体を押すようにして滑らせ、ストレッチャーの中央まで移動させる。

❸ スライディングボードを引き抜く。

スライディングボードを引き抜く

片膝をストレッチャーやベッド上に乗せ、介助を行うとよい

PROCESS 2 ストレッチャーでの移送

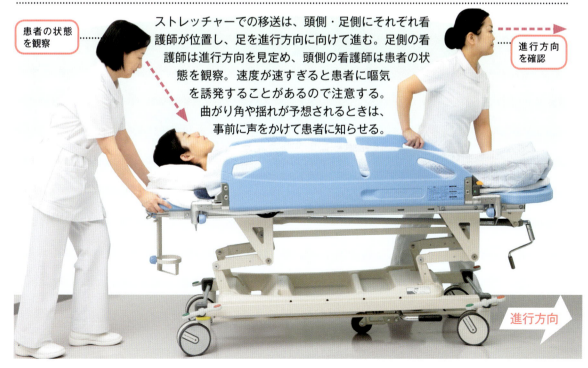

患者の状態を観察

ストレッチャーでの移送は、頭側・足側にそれぞれ看護師が位置し、足を進行方向に向けて進む。足側の看護師は進行方向を見定め、頭側の看護師は患者の状態を観察。速度が速すぎると患者に嘔気を誘発することがあるので注意する。曲がり角や揺れが予想されるときは、事前に声をかけて患者に知らせる。

進行方向を確認

進行方向

CHAPTER 3

歩 行

歩行には自力歩行、杖や歩行器を用いた歩行がある。
本項では、自力歩行の介助、松葉杖歩行について説明する。

自力歩行の場合

患者の歩行介助を行う場合は、事前にバイタルサインが落ち着いていることを確認する。

❶ ベッドは、患者が座位になった場合、足が床に着く高さとする。

❷ 徐々にベッドを挙上し、まず座位をとる。ベッド端座位をとり、歩きやすい靴を着用する。

❸ ベッドサイドにしっかりと立ち上がってもらう。この際、看護師はすぐに支えられる位置に立つ。

POINT
- 立ち上がった際、循環動態の変動が起きやすく、立ちくらみ・めまいなどが起こりやすいので注意する。

❹ 看護師は患者の患側で、すぐに手を出せる位置に立ち、歩行に付き添う。

POINT
輸液ライン・ドレーン類がある場合
- 輸液中の場合は、点滴スタンドを押しながら歩行することになる。ライン類が絡まないよう注意する。
- ドレーン挿入中の場合は、排液バッグを袋に入れ、患者に首からさげてもらう。ドレーン類をまとめて携行することで歩きやすくなり、同時に排液が他者の目に触れることを防ぐ。

移動の援助

松葉杖歩行の場合

松葉杖歩行を行う場合は、事前にバイタルサインが落ち着いていることを確認する。
また、患側に免荷の指示がある場合は、患側に体重をかけないよう患者に伝え、
注意して援助する。

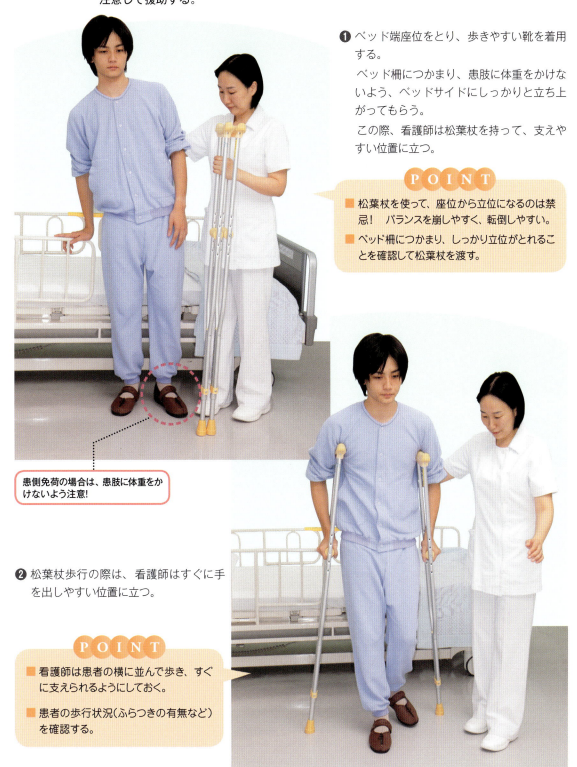

❶ ベッド端座位をとり、歩きやすい靴を着用する。
　ベッド柵につかまり、患肢に体重をかけないよう、ベッドサイドにしっかりと立ち上がってもらう。
　この際、看護師は松葉杖を持って、支えやすい位置に立つ。

POINT
- 松葉杖を使って、座位から立位になるのは禁忌！　バランスを崩しやすく、転倒しやすい。
- ベッド柵につかまり、しっかり立位がとれることを確認して松葉杖を渡す。

患側免荷の場合は、患肢に体重をかけないよう注意！

❷ 松葉杖歩行の際は、看護師はすぐに手を出しやすい位置に立つ。

POINT
- 看護師は患者の横に並んで歩き、すぐに支えられるようにしておく。
- 患者の歩行状況（ふらつきの有無など）を確認する。

CHAPTER 3

❓ あなたならどうする？　複合事例②

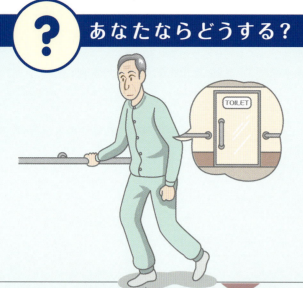

林保之さんは、75歳の男性。肺炎のため入院して7日目です。

安静度は、病院内歩行の許可が出ています。
昨日から解熱し、10m先のトイレまで手すりにつかまりながら、歩いています。

午後2時、**X線検査**のため
1階の検査室まで行くことになりました。

病室に伺うと、林さんが次のように話されました。
「**わかりました。トイレに行ってから、1人で歩いて行くから大丈夫ですよ**」

あなたなら、どのようなケアを行いますか？

対応例

- まず、バイタルサインを測定し、熱の状況、呼吸状態を確認する。
- 手すりにつかまりながら10m歩行しているが、解熱したばかりであり、検査室までの歩行は危険である。途中で呼吸状態が悪くなったり、気分不快となる可能性がある。7日間ほぼベッド上安静であったため、急に活動範囲を広げると、疲労感も強く、転倒のリスクも高い。
- 林さんに説明し、車椅子で検査室に行くことを提案する。
- まず、病棟トイレまでは歩行してもらう。その後、車椅子に乗ってもらい、検査室まで移送する。検査終了後、状態が安定しており、歩行の希望があれば、途中から歩行することも検討する。

移動の援助

あなたならどうする？

複合事例③

岸田さんは、60歳の女性です。
肝機能が低下し、腹水が貯留しています。両下肢も皮膚が薄くすけるほどにむくんでいます。貧血が進み、全身倦怠感が強いため3日前に入院し、治療を受けています。

ほとんどの時間は**ベッドで横**になっており、排泄は**病室内のトイレまで車椅子で移動**しています。

今朝は、朝食を半分ほど食べ、
今から歯磨きの介助を行うところです。
今朝は比較的調子がよいようです。

あなたなら、どのようなケアを行いますか？

対応例

- 岸田さんは、今朝は調子がよいため、車椅子で洗面所まで移動し、歯磨きを行うことを提案する。洗面所で実施したほうがさっぱりすると説明する。
- 貧血で倦怠感が強いため、ゆっくりとベッドから起きてもらう。急な姿勢の変化で、全身状態の変化がないかを観察し、岸田さんに声をかけながら実施する。
- 下肢の浮腫が強いため、車椅子に移乗する場合には、ぶつけて皮膚を損傷しないよう注意する。
- 自分でできるところは、できるだけ行ってもらう。腹水がたまり、うつむく姿勢が苦しいため、靴を履くなどの際は介助を行う。

ヒヤリ・ハット　移動時の患者の焦り

事例1 トイレ介助で、車椅子に移乗する際、患者が転落した！
→トイレや検査などの目的で車椅子に移乗する際、患者があわてていることも多く、安静度を超えて自分で行おうとして転倒・転落するリスクがある。
→患者が自分でできること、できないことを見極め、できない部分は介助を行って、安全に移動の援助を行う。

CHAPTER 4 清潔の援助

身なりを整え、身体を清潔に保つことは、自分自身が心身ともに心地よいだけでなく、社会の中で人と人との関係を円滑に保つうえで大きな影響をもたらす。健康を損ねた人にとって、治療や病状のために入浴ができなかったり、1人では髪を洗えなくなったり、歯を磨くことができなくなるなど、日常生活で当たり前に行う清潔行動が妨げられると、心理・社会的な側面にまで影響が及ぶ。

どのような健康状態においても、その人のセルフケアレベルに応じ、身だしなみと清潔の保持ができるように援助することは、感染予防の観点からも非常に大切である。

目的 その人が持てる力を発揮しながら、安全に清潔行動を行い、心地よくなれるよう援助する。

■皮膚・粘膜の構造と特徴

- 皮膚は表皮・真皮・皮下組織の3層からなる。表皮細胞は成熟・分化しながら約1か月ではがれ落ちる。皮膚には汗腺や皮脂腺があり、排泄、体温調節、代謝・分泌、外界からの刺激伝達などの機能を持つ。
- 粘膜は皮膚と同じ構造であるが、表面の細胞が角化していないため、外界からの刺激に弱い。口唇や口腔内、陰部、鼻腔内は粘膜で覆われている。
- 皮膚と粘膜では、温度や物理的刺激に対する強さが異なるため、清潔にする方法も異なる。粘膜は皮膚より、低い温度で、強い摩擦を与えないようにケアを行う。

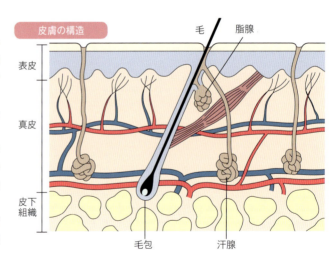

皮膚の構造

■爪の構造と特徴

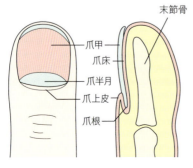

- 爪は表皮が特殊な変形をとげたものであり、爪床は血管に富んでいる。強い貧血やチアノーゼのときには蒼白となるなど、全身状態が反映される。
- 爪は、爪根に近い部分から細胞分裂を行い、成長する。爪は1日に約0.1mm伸びる。

清潔の援助

■ 汚れのたまりやすい部位

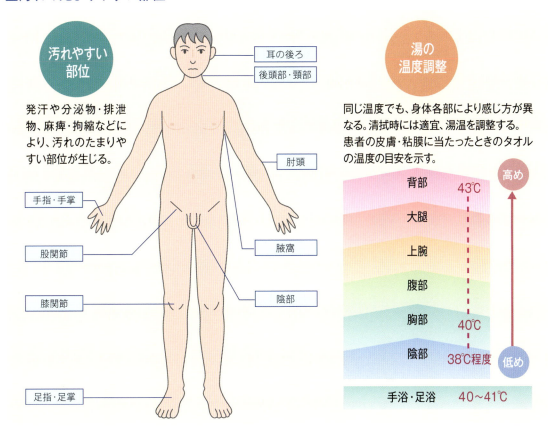

汚れやすい部位

発汗や分泌物・排泄物、麻痺・拘縮などにより、汚れのたまりやすい部位が生じる。

- 耳の後ろ
- 後頭部・頸部
- 肘頭
- 手指・手掌
- 腋窩
- 股関節
- 陰部
- 膝関節
- 足指・足掌

湯の温度調整

同じ温度でも、身体各部により感じ方が異なる。清拭時には適宜、湯温を調整する。患者の皮膚・粘膜に当たったときのタオルの温度の目安を示す。

- 背部 43℃ 高め
- 大腿
- 上腕
- 腹部
- 胸部 40℃
- 陰部 38℃程度 低め

手浴・足浴 40〜41℃

■ 清潔・身だしなみに対するアプローチ

- 治療・療養のため臥床中の人は一見、活動していないようにみえても、発熱などによる発汗、血液や排泄物による汚れ、分泌物などによって身体や衣類が汚れやすい。

- 麻痺や拘縮のある手指は、開く機会が少ないと汚れがたまりやすく、臭気の源になることがある。

- 汚れやすいということは感染のリスクも高くなるため、個々の患者の汚れやすい部位、清潔にする意味、その人が自分でできること、介助の必要なことは何かなどをアセスメントする。

- 清潔行動は生活習慣や個人の好みによるところも大きいため、一人ひとりの患者と対話をしながら援助の方法を決める。

CHAPTER 4

入浴

入浴やシャワー浴によって身体を清潔にすることで、爽快感やリラックス感を味わうとともに、血液循環が促進される。しかし同時に、湯につかることにより呼吸・循環状態への影響があり、疲労感を感じたり、濡れた浴室では転倒事故が発生するリスクが高い。これらの点を十分にアセスメントし、入浴前・中・後にわたって援助を行うことが大切である。

■入浴による身体への影響

高齢者は…
- ■入浴直後の血圧変動が大きい
- ■体が温まりにくいため、熱い湯で長湯をしやすいので注意！

熱い湯に入ると…
- ■心拍数亢進↑
- ■血圧上昇↑
- ■胃腸蠕動運動は抑制↓

こんな場合はシャワー浴
- ■浴槽につかることによって、体力が消耗する場合
- ■創などがあり浴槽にはつかれないが、全身の洗浄をすることは可能な場合
- ■足腰が不自由で、洗い場から浴槽までの移動が困難な場合
- ■患者にシャワー浴の習慣があり、好む場合

首までつかると…
- ■水の圧力を受けることで胸郭が圧迫され、呼吸・循環に負荷がかかる

PROCESS 1 入浴前のアセスメントと準備

患者
- □血圧・循環動態、呼吸状態などの変動に注意が必要?
- □長期臥床、麻痺や筋力低下などでふらつきがあり、転倒しやすい?
- □創部やドレーンは?
- □留置針、尿道カテーテルを挿入している?
- □リハビリテーション直後? 空腹? 食事直後?
- □酸素吸入中?

→
- □バイタルサイン、全身状態を確認し、入浴可能かどうかを検討する
- □介助の必要な部分を患者とともに確認する
- □創部、ドレーン、留置針、カテーテルは、フィルムなどで保護あるいは抜去する
- □運動、食事の前後30分は時間をおき、循環動態や胃腸の血流量の回復を待つ
- □酸素吸入量の確認(労作時の投与指示に変更はないか)

環境
- □浴室と脱衣所との気温差が少なく、温まっている?
- □器具の使用方法を知っている?
- □ナースコールはある?
- □酸素投与可能な設備がある?
- □滑りやすいところはない?
- □手すりはある?

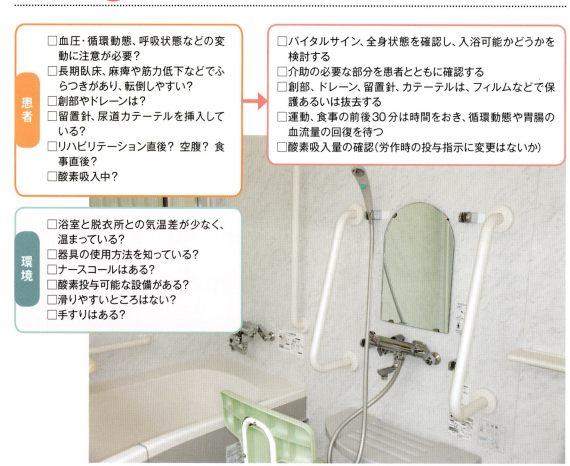

清潔の援助

PROCESS 2 入浴中の援助

1人で入浴できる場合

観察
- □気分不快はない？
- □長湯をしていない？
- □背部・腹部・陰部など、普段観察しづらい部位の皮膚の状態は？
- □ふらつきはない？
- □姿勢は保持できている？

ケア
- □入浴中に患者の様子をうかがい、声をかける
- □患者にナースコールの位置を伝える
- □着替えなどの準備を整え、洗いにくい部分を手伝う
- □手すりの位置を確認しながら、転倒しないように支える

介助が必要な場合

❶ 患者が、衣類・下着を脱ぐのを介助する。

❷ タオルなどで覆って不必要な露出を避け、浴室までの移動を介助する。床が滑りやすいため、注意するよう声をかける。

❸ シャワーやかけ湯は、足先から行う。
⇒急激な循環動態への影響を避ける。

❹ 浴槽への移動を介助する。声をかけ、手すりなどの位置を確かめながら行う。

❺ 浴槽の湯は、患者の横隔膜の高さを越えないようにする。
⇒水圧（静水圧）による心肺への影響を避ける。

❻ 患者が自分で洗えない部分を介助し、さりげなく全身を観察する。椅子から立ち上がったり、片足立ちにならないように声をかけ、転倒を予防する。
⇒前屈時にバランスを崩し転倒することがあるため、足先など手の届かないところは介助する。

❼ 長く湯につかると疲労感が増す。適宜、体調を聞きながら、開始から終了まで15分程度を目安にする。

❽ 脱衣場には、椅子にバスタオルを敷いて準備しておく。患者が浴室から出たら腰かけてもらい、敷いておいたバスタオルで、すぐに全身の水分を拭き取る。

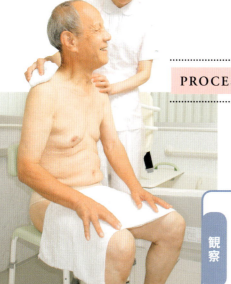

PROCESS 3 入浴後の援助、後片付け

❶ 入浴後は水分を補給し、脱水傾向にならないよう注意する。

❷ 浴室・浴槽を洗浄し、抜け毛、紙おむつなどを処理する。患者が着替えた衣類、タオルなどを持ち帰り、片付けるのを手伝う。

観察
- □気分不快は？
- □創部やドレーン部位からの出血や滲出液は？
- □留置針、尿道カテーテルは抜けていない？
- □浴室から病室までは歩ける？

ケア
- □バイタルサインの測定
- □創部、ドレーン部位のドレッシングを行う
- □チューブ、刺入部位の再固定を行う
- □入浴は体力を消耗するため、車椅子で病室まで戻る

CHAPTER 4

清拭

入浴やシャワー浴により身体を直接的に湯で洗い流すことがむずかしい場合に、全身あるいは部分的に汚れを拭き取るケアが清拭である。

■ 全身・部分清拭

顔・頸部	● モーニングケアとして、1日の生活リズムをつくるために顔面や頸部を拭く。
上・下半身	● 発汗や分泌物が多い場合や、全身を一度に行うと体力の消耗が激しい場合などに清拭を行う。
手足	● 手は食事前、排泄後などに行う。清拭より、湯につけて洗い流すほうが汚れが落ち、温熱効果も高い。
陰部	● 1日1回、あるいは排便後に陰部をトイレの洗浄機能や洗浄ボトルを利用して、湯で洗い流す。

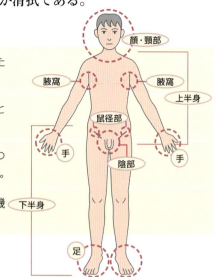

■ 洗浄剤の種類と選択

石けん	● 固形あるいは液体石けんをウォッシュクロスに泡立てて皮膚をこすり、汚れを除去する。 ● 石けんを使用すると2〜3回は拭き取りが必要になるため、患者の疲労を考慮する。 ● 泡状タイプの洗浄剤は、拭き取り不要のものもある。
沐浴剤	● 液体タイプの洗浄剤で、拭き取り不要のものもある。
洗浄剤を使用しない場合	● 汚れが強くない場合などは、湯のみで拭く。

■ 物品・道具の種類と選択

湯でタオルを絞る	● ベースンに湯を張り、タオルを湯につけて絞る。湯が冷めやすいため、温度管理を行う必要がある。 ● そのつどタオルを絞り、温かいタオルで何度も拭き取りが可能である。
清拭用蒸しタオルを用いる	● 清拭車などで高温に蒸したタオルをベッドサイドに持っていき、使用する。 ● 湯の準備をする必要がなく、簡便である。 ● 一度使用するとすぐにタオルが冷めてしまうため、繰り返しの使用はできない。

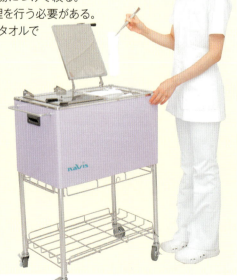

清潔の援助

PROCESS 1 患者の準備、必要物品の準備

清拭の実施は、食事直前や食事直後は避ける。リラックス効果を高めるためにも、患者に排泄を済ませてもらう。看護師は手洗いを行い、必要物品を準備する。

❶ ベースン
❷ 汚水用バケツ
❸ 湯（50～60℃）
❹ タオル（フェイスタオル・バスタオル）
❺ ウォッシュクロス
❻ 綿毛布
❼ 清拭剤
❽ 湯温計
❾ 手袋・プラスチックエプロン
❿ ビニール袋
⓫ 着替え

PROCESS 2 清拭前の準備

カーテンを閉め、必要物品・着替えなどを準備する。清拭する部分に応じて患者の寝衣を開き、バスタオルで覆う。55℃程度（手で絞れる限界温度）の湯で、たたんだタオルを絞り、軽く広げて皮膚に当て蒸らす。皮膚が温まったら、ウォッシュクロスの身体に当たる面が平らになるようたたみ、皮膚に密着させながら拭いていく。清拭剤を使用する場合は、2～3回拭き取り、清拭剤成分を残さない。

ウォッシュクロスのたたみ方

①タオルの端1/3を折る。
②反対側の端1/3を折る。
③タオルを下から折り返し、手掌との隙間に折り込む。

PROCESS 3 顔・頸部の清拭

 4-1

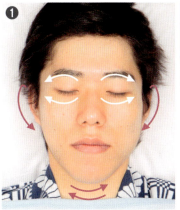

❶ タオルを絞り、顔全体を蒸らす。熱いタオルで息苦しくないか、呼吸状態に注意する。

❷ 目頭→目尻→額→頬→耳→頸部の順に拭く。

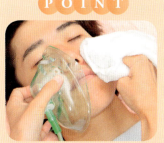

POINT

■ 酸素マスクや鼻カニュラを装着している場合は、外して素早く拭き、すぐに再装着する。
■ 自分で拭ける患者には、タオルを絞って手渡す。

CHAPTER 4

PROCESS 4 上肢・胸腹部の清拭

4-2

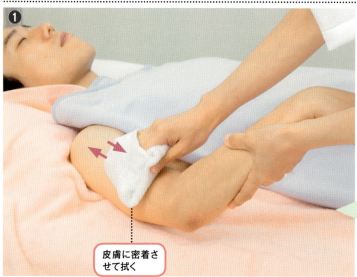

❶ バスタオルや綿毛布で覆い、清拭する部分のみを露出する。
ウォッシュクロスを皮膚に密着させて拭く。

皮膚に密着させて拭く

EVIDENCE

■「末梢から中枢」『中枢から末梢』『往復』のいずれの方向が皮膚血流量の促進となるかについては、見解の一致はみられていない。

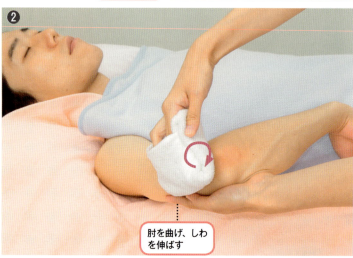

❷ 肘は関節を支え、曲げて肘頭のしわを伸ばして拭く。
腋窩もていねいに拭いていく。

肘を曲げ、しわを伸ばす

❸ 胸部は、乳房の輪郭に沿って拭く。上腹部は横向きに拭く。下腹部は臍を中心に時計回りに円を描き、腸の走行に沿って拭く。

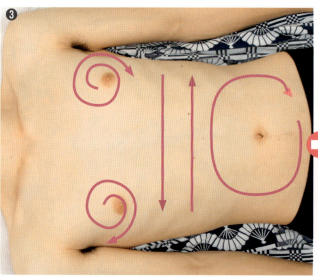
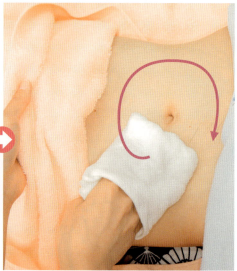

清潔の援助

PROCESS 5 腰背部・下肢の清拭

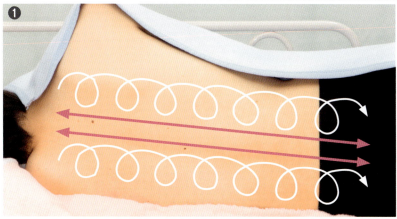

❶ 背中は面積が広く、温度感覚が鈍いため、熱めの湯を使用する。
絞ったタオルを2枚重ね、バスタオルで覆って蒸らしてから拭く。
脊柱に沿って直線に拭き、左右は円を描いて拭く。

❷ 肩甲骨部位周辺は、丸く円を描くように拭く。背面全体の皮膚の状態、発赤、かゆみなどがないか、患者に声をかけ、確認しながら行うとよい。

❸ 腰部・殿部も面積が広く、温度感覚が鈍いため、熱めの湯を使用する。仙骨部・腸骨部は褥瘡ができやすいため、皮膚色・弾力を観察し、骨の突出部は特にやさしく、ていねいに拭く。

関節は渦巻きを描いて拭く

膝を曲げ、しわを伸ばす

❹ 膝を曲げ、膝頭のしわを伸ばして拭く。膝関節の裏側、足指の間も忘れずに拭く。

POINT
- 高齢者やや痩せている患者は、皮膚が脆弱であるため、特に注意して、やさしく拭く。
- 足指に水分が残ると冷えるため、乾いたタオルで拭き取る。

CHAPTER 4

PROCESS 6 観察、後片付け

患者の疲労や苦痛がないか確認する。着替えた衣類を片付け、ベッドの高さ、ナースコールの位置、ベッド柵などを元に戻す。
汚水を洗浄室に流し、必要物品を洗浄して片付ける。

入浴・清拭 Q&A

Q 酸素療法中の患者が、入浴する場合は？

A 入浴時は負荷がかかるため、酸素流量を上げる指示がないか確認する。あらかじめ、酸素チューブの長さなどを確認し、スムーズに入浴できるよう準備を整える。入浴中は、酸素流量を確認する。

Q 清拭の方向は、末梢側から中枢側？

A 指先など末梢側から体の中枢側に向かって拭く場合、反対に中枢側から末梢側に向かって拭く場合、何も行わない場合という3パターンについて自律神経反応（電気伝導水準、心拍変動スペクトル解析、表面皮膚温）を測定した研究によると、中枢側から末梢側に、なでるように拭くほうが、眠りにつく前や興奮した状態を鎮める効果があるという結果が示された（文献1）。清拭をする際に、参考にするとよい。

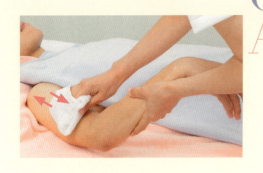

Q 入浴と清拭の効果の違いは？

A 入浴および清拭前後の皮膚の水分量、油分量、pHならびに清浄度を比較した研究によると、入浴に比べて清拭のほうが水分量、油分量、pH、清浄度の変化が少なく、皮膚が本来持つ機能に与える影響が少ないことが示された。
一方、除菌効果、皮脂の除去に関する効果は、入浴より清拭のほうが低いことが示された（文献2）。

爪切り

爪は伸びすぎると皮膚を傷つけたり、衣類に引っかかり割れる場合があり危険である。また、長く伸びた爪の間には、ごみや垢などがたまり、不潔になりやすい。感染を引き起こすこともあるため、爪は適度な長さに整える必要がある。

■爪切りに、注意を要する場合

- 爪が変形している場合（陥入爪・肥厚など）　⇒フットケアの専門的介入を検討
- 末梢神経障害があり、指に皮膚の病変を伴っている場合
- 浮腫があり、皮膚が傷つきやすい場合
- 白癬などの感染症がある場合　⇒手袋を装着する

PROCESS 1　患者の準備、必要物品の準備

爪切りは、手浴後や入浴後など、できるだけ爪が柔らかくなっているときに行う。看護師は手洗いを行い、必要物品を準備する。

❶ 爪切り、ニッパー、ヤスリなど
　（感染防止のため個人使用）
❷ 手袋（必要時）
❸ ティッシュペーパー（または、部分シーツ）

PROCESS 2　爪切りの実施

4-4

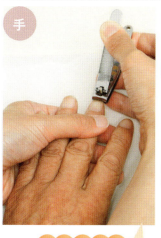
手

足

❶ 看護師は説明を行い、患者と同じ目線になるよう体位を整える。
　爪切りをする手（足）の下にティッシュペーパーや部分シーツを敷く。

❷ 手指（足指）の下を支え、まず、爪を水平に切る。

❸ 次に、爪の両端を少し斜めにカットする（スクエアオフ）。

❹ 爪の切り口にヤスリをかけて、滑らかに整え、患者本人に確かめてもらう。

POINT
- 爪を深く切りすぎないよう、皮膚を切らないよう注意。
- 爪の長さは、指趾が少しはみ出す程度にする。

PROCESS 3　観察・後片付け

皮膚を損傷していないか確認する。ごみを捨て、使用した爪切りはアルコール綿で消毒する。看護師は手洗いを行う。

CHAPTER 4

着替え

衣類は寒さや暑さ、外界から皮膚を守り、また汗などを吸収する。療養生活を送る人は、活動量が少ない場合でも、分泌物や排泄物で衣類が汚れることが多い。

適切な更衣や身だしなみを整える援助は、感染予防だけでなく、気分を爽快にし、他者とのコミュニケーションの促進にもつながる。

和式寝巻

PROCESS 1 患者への説明、準備

患者に寝衣交換を行うことを説明し、承諾を得る。
看護師は手洗いを行い、必要物品を準備する。

❶ 新しい寝衣　❷ タオルケット、もしくは綿毛布

PROCESS 2 着替えの実施

4-5

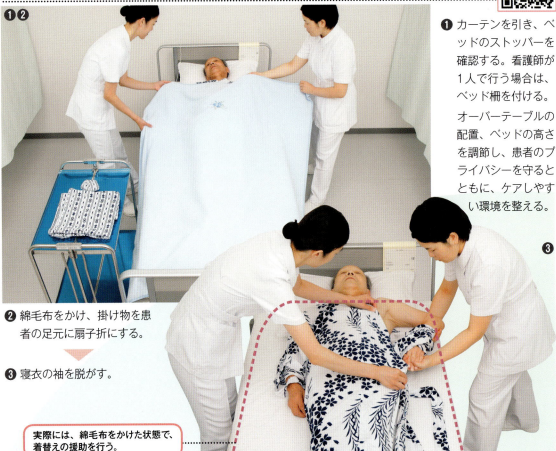

❶ カーテンを引き、ベッドのストッパーを確認する。看護師が1人で行う場合は、ベッド柵を付ける。
オーバーテーブルの配置、ベッドの高さを調節し、患者のプライバシーを守るとともに、ケアしやすい環境を整える。

❷ 綿毛布をかけ、掛け物を患者の足元に扇子折にする。

❸ 寝衣の袖を脱がす。

実際には、綿毛布をかけた状態で、着替えの援助を行う。

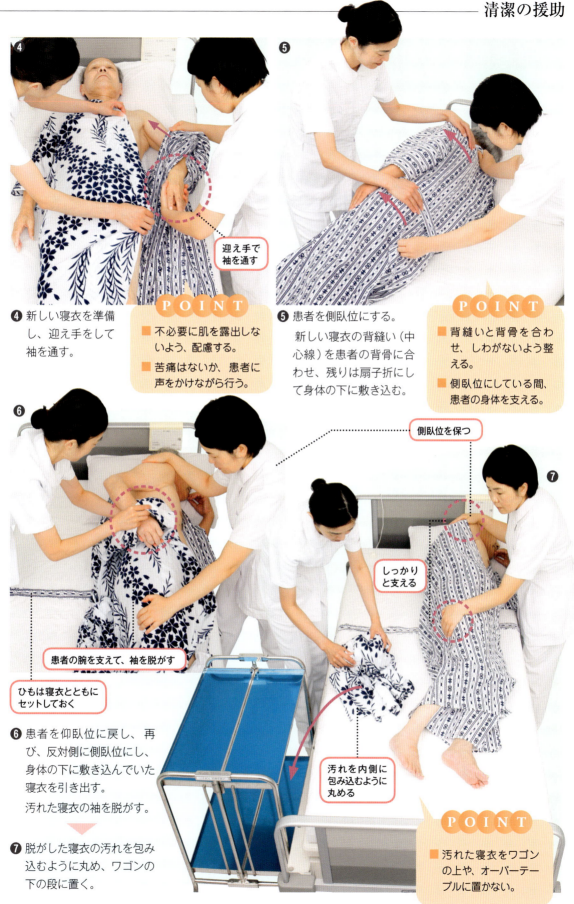

CHAPTER 4

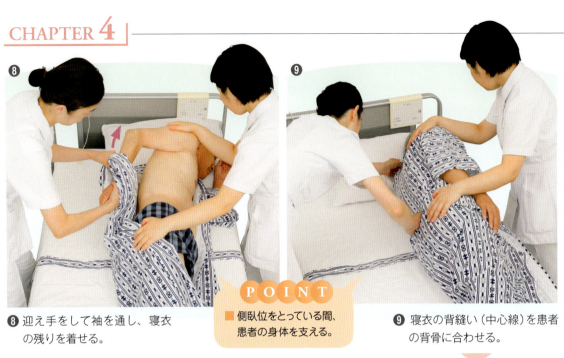

⑧ 迎え手をして袖を通し、寝衣の残りを着せる。

POINT
■ 側臥位をとっている間、患者の身体を支える。

⑨ 寝衣の背縫い（中心線）を患者の背骨に合わせる。

⑩ 患者を仰臥位に戻し、前身ごろを重ねて、襟元・足元を整える。寝衣の両脇の部分を引き、背中にしわがないよう伸ばす。

⑪ 寝衣を足元から引っ張り、しわを伸ばして整える。

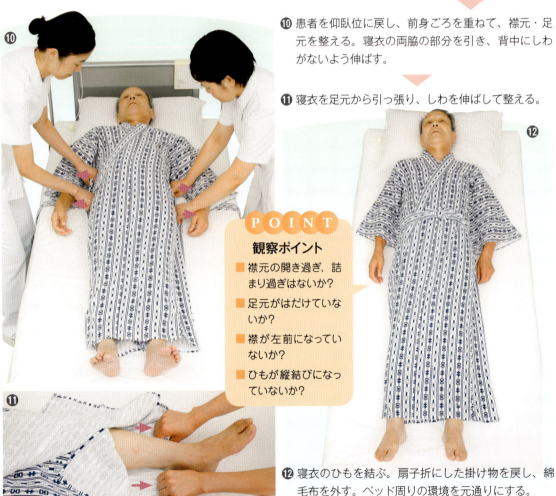

POINT
観察ポイント
■ 襟元の開き過ぎ、詰まり過ぎはないか？
■ 足元がはだけていないか？
■ 襟が左前になっていないか？
■ ひもが縦結びになっていないか？

⑫ 寝衣のひもを結ぶ。扇子折にした掛け物を戻し、綿毛布を外す。ベッド周りの環境を元通りにする。
汚れた衣類はビニール袋に入れて片付ける。
ベッド、オーバーテーブルなどを元に戻す。
看護師は、手洗いを行う。

清潔の援助

パジャマ

PROCESS 1 患者への説明、準備

❶ 患者に寝衣交換を行うことを説明し、承諾を得る。看護師は手洗いを行う。

❷ カーテンを引き、ベッドのストッパーを確認し、高さを調節する。

PROCESS 2 ボタン式上着の着替え（座位）

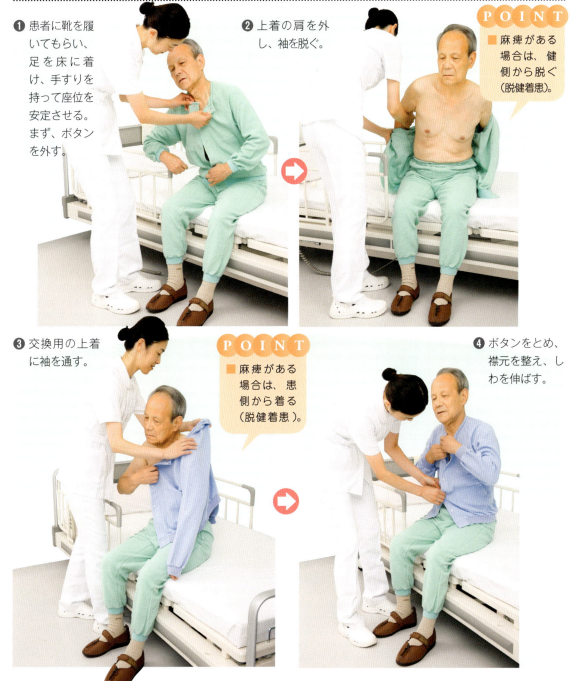

❶ 患者に靴を履いてもらい、足を床に着け、手すりを持って座位を安定させる。まず、ボタンを外す。

❷ 上着の肩を外し、袖を脱ぐ。

POINT
■ 麻痺がある場合は、健側から脱ぐ（脱健着患）。

❸ 交換用の上着に袖を通す。

POINT
■ 麻痺がある場合は、患側から着る（脱健着患）。

❹ ボタンをとめ、襟元を整え、しわを伸ばす。

CHAPTER 4

PROCESS 2 かぶり式上着の着替え（座位）

❶ 身ごろをたくし上げ、腕を抜くように片袖を外す。

❷ 頭をくぐらせ、身ごろを脱ぐ。

❸ もう片方の袖を脱ぐ。

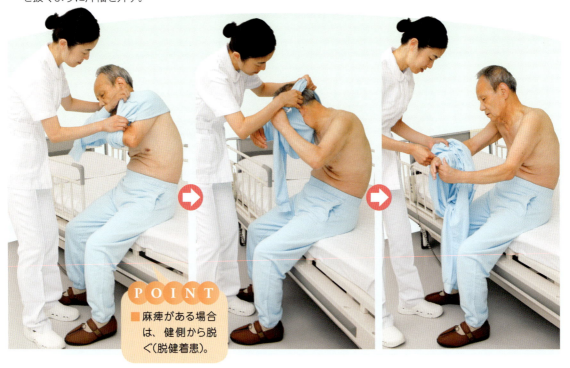

POINT
■ 麻痺がある場合は、健側から脱ぐ（脱健着患）。

❹ 交換用の上着の袖を通し、上腕まで上げる。

❺ もう片方の袖を通し、上腕まで上げる。

❻ 頭をくぐらせて、身ごろを引き下げる。襟元を整え、しわを伸ばす。

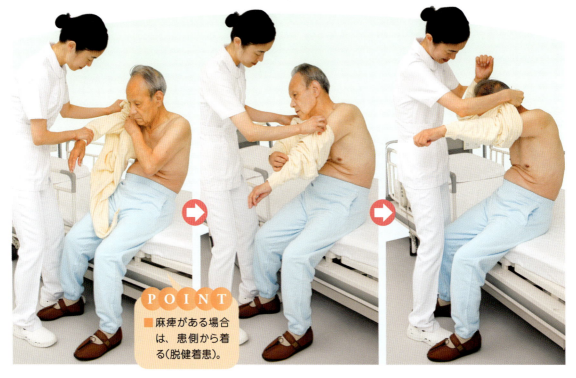

POINT
■ 麻痺がある場合は、患側から着る（脱健着患）。

86

清潔の援助

PROCESS 3 ズボンの着替え（座位・立位）

❶ 患者に立位をとってもらい、ズボンを下ろす。

❷ 座位をとり、片足ずつ、ズボンを脱ぐ。

POINT
- 患者ができるところは自分で、できないところを看護師が援助する。

POINT
- 麻痺がある場合は、健側から脱ぐ（脱健着患）。
- 手すりを持って、立位を安定させる。

POINT
- 手すりを持ち、立位を安定させてからズボンを上げる。
- バランスをくずし、転倒することがないよう注意！

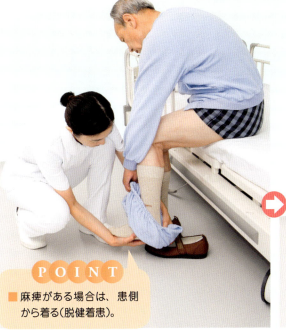

POINT
- 麻痺がある場合は、患側から着る（脱健着患）。

❸ 新しいズボンに足を通す。看護師が、患者の足が床に着かないよう支え、患者にズボンを引き上げてもらう。

❹ 座位のままズボンを大腿部まで引き上げたら、立位をとり、ズボンを引き上げて整える。

CHAPTER 4

PROCESS 3' ズボンの着替え（臥位）

❶ 仰臥位をとり、両膝を立てる。患者に腰を挙上してもらい、看護師がズボンを下ろす。

POINT
- 腰を挙上できない場合は、側臥位をとり、片側ずつズボンを下ろす。

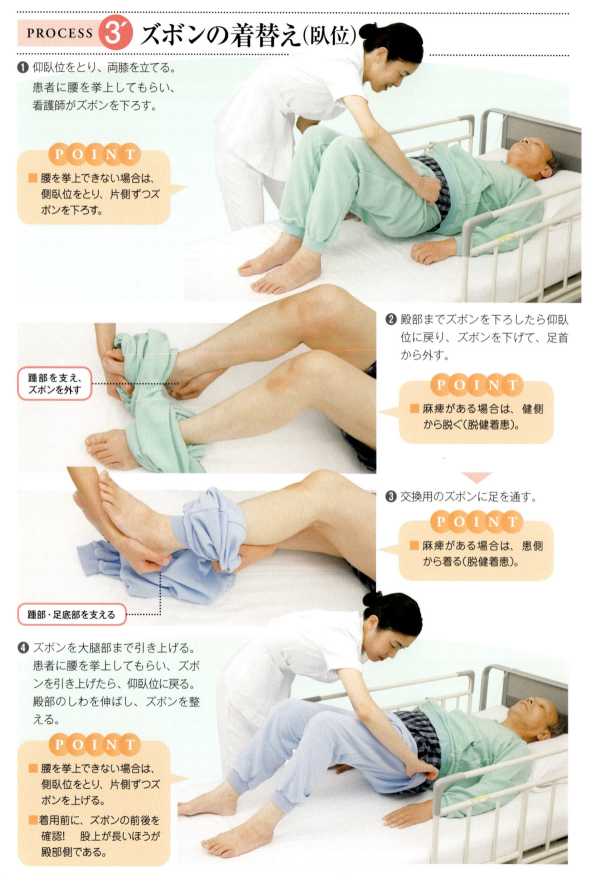

踵部を支え、ズボンを外す

❷ 殿部までズボンを下ろしたら仰臥位に戻り、ズボンを下げて、足首から外す。

POINT
- 麻痺がある場合は、健側から脱ぐ（脱健着患）。

❸ 交換用のズボンに足を通す。

POINT
- 麻痺がある場合は、患側から着る（脱健着患）。

踵部・足底部を支える

❹ ズボンを大腿部まで引き上げる。患者に腰を挙上してもらい、ズボンを引き上げたら、仰臥位に戻る。殿部のしわを伸ばし、ズボンを整える。

POINT
- 腰を挙上できない場合は、側臥位をとり、片側ずつズボンを上げる。
- 着用前に、ズボンの前後を確認！ 股上が長いほうが殿部側である。

洗髪

長期臥床が続いたり、洗髪できない状態が続くと、見た目にも頭皮や毛髪の汚れ、乱れが目立つようになる。瘙痒感、臭いなども起こり、不快感が増す。洗髪の援助を行うことにより、爽快感が得られるだけでなく、感染予防にもつながる。洗髪方法は、患者の状態と設備、物品を考慮して選択する。

■洗髪方法と患者の状態

ケリーパッド、洗髪車
- 前傾・前屈姿勢がとれない
- 座位姿勢がとれない
- 医療器具が装着され、ベッドから離れられない

洗髪台
- 洗髪室まで移動が可能

【体位・姿勢】
⇒前傾・前屈姿勢
⇒リクライニングチェア（車椅子）で仰向けの姿勢
⇒ストレッチャーで仰臥位

ドライシャンプー
- 頭部に創傷などがあり、頭髪を濡らすことができない
- 疲労感が強く、体力消耗を最小限にしたい

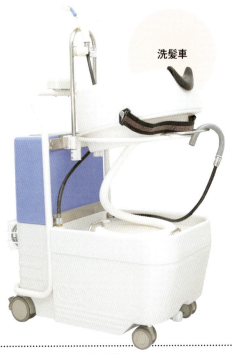

洗髪車

PROCESS 1 患者の準備、必要物品の準備

リラックス効果を高めるためにも、洗髪を実施する前に、患者に排泄を済ませてもらう。看護師は手洗いを行い、必要物品を準備する。

① バケツ　② 汚水用バケツ
③ ケリーパッド
④ 湯（40℃程度・60℃程度の2種類）・水
⑤ ピッチャー
⑥ タオル（フェイスタオル・バスタオル）
⑦ ケープ
⑧ 顔用ディスポーザブルガーゼ
⑨ 防水（ラバー）シーツ・処置用シーツ
⑩ 綿毛布　⑪ シャンプー・リンス
⑫ ヘアブラシ・ドライヤー
⑬ 湯温計
⑭ プラスチックエプロン
⑮ ビニール袋

CHAPTER 4

PROCESS 2 洗髪の実施

ケリーパッドを用いる場合

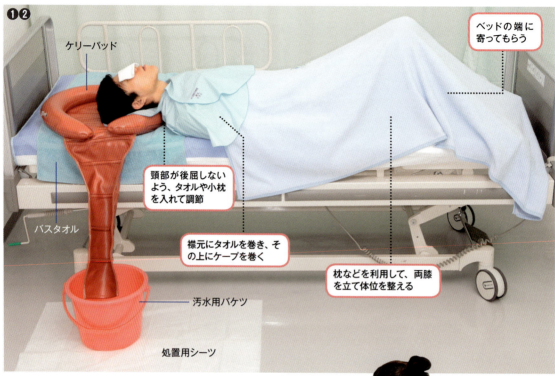

- ケリーパッド
- バスタオル
- ベッドの端に寄ってもらう
- 頸部が後屈しないよう、タオルや小枕を入れて調節
- 襟元にタオルを巻き、その上にケープを巻く
- 枕などを利用して、両膝を立て体位を整える
- 汚水用バケツ
- 処置用シーツ

❶ 患者の枕を外し、頭部をベッドサイドに移動する。
防水シーツ、バスタオル、ケリーパッドの順にそろえ、患者の頭部を持ち上げてセットする。
バケツを配置し、排水しやすいよう整える。

❷ 患者の襟元を広げ、フェイスタオルを巻き、その上にケープを巻く。
患者の頭が後屈しないよう体位を整え、背部に隙間があれば、タオルを敷き込む。

❸ 髪にブラシをかけ、からまりをほどく。
必要時、耳栓をして目をガーゼで覆う。
頭皮に湯をかけ、患者に温度を確認後、髪全体にかける。

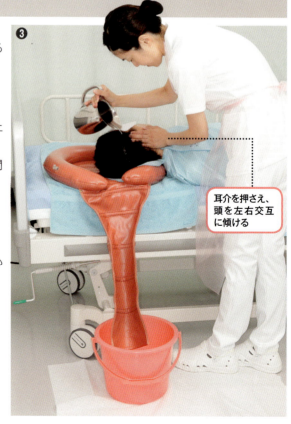

- 耳介を押さえ、頭を左右交互に傾ける

POINT
洗髪の準備
- 汚水が看護師にかからないよう、ケリーパッドの排水口は看護師側に向けないようにする。
- 患者の頭部が後屈しないように体位を整える。

清潔の援助

❹ 指腹で頭皮をマッサージ

片手で頭を固定

❺ ピッチャーが顔面の上にこないように把持する

後頸部・耳介後部のすすぎ残しに注意

❹ シャンプーを手にとって泡立て、髪全体につける。生え際〜頭頂部、後頸部〜後頭部とまんべんなく洗う。患者に洗い足りないところはないか聞く。

❺ 泡を手で取り除き、湯をかけてすすぐ。
リンスを手にとり、髪全体になじませ、湯で軽くすすぐ。

POINT
洗髪時のポイント

- 爪を立てると頭皮を傷つけるので、指腹で洗う。
- タオルで泡を取り除いてからすすぐと、湯を節約できる。
- 洗いにくい部分、すすぎにくい部分（後頸部や後頭部、耳介後部など）に注意する。

❻ 排水口を押さえると、たまった汚水がバケツへ

❻ ケリーパッドの排水口を手で押し下げると、スムーズにバケツ内に排水できる。ケープを外し、患者の頭部を持ち上げ、ケリーパッドを外す。

❼ 耳介・耳朶・顔面などにかかった水滴を拭き、敷いてあったバスタオルで頭髪全体を包み、水分をとる。ドライヤーで髪を乾かし、整える。
患者の体位・寝衣・ベッドを元通りにする。

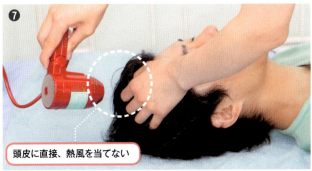

❼ 頭皮に直接、熱風を当てない

CHAPTER 4 清潔の援助

CHAPTER 4

洗髪台を用いる場合

洗髪室に移動し、洗髪台を用いる場合は、体位を整え安定させることが大切である。リクライニングチェアや車椅子の背もたれを倒す場合は、重心が傾きやすいため、看護師2名で介助するとよい。
洗髪台と頭部の間にタオルを入れて安定させる。

車椅子(仰向け)

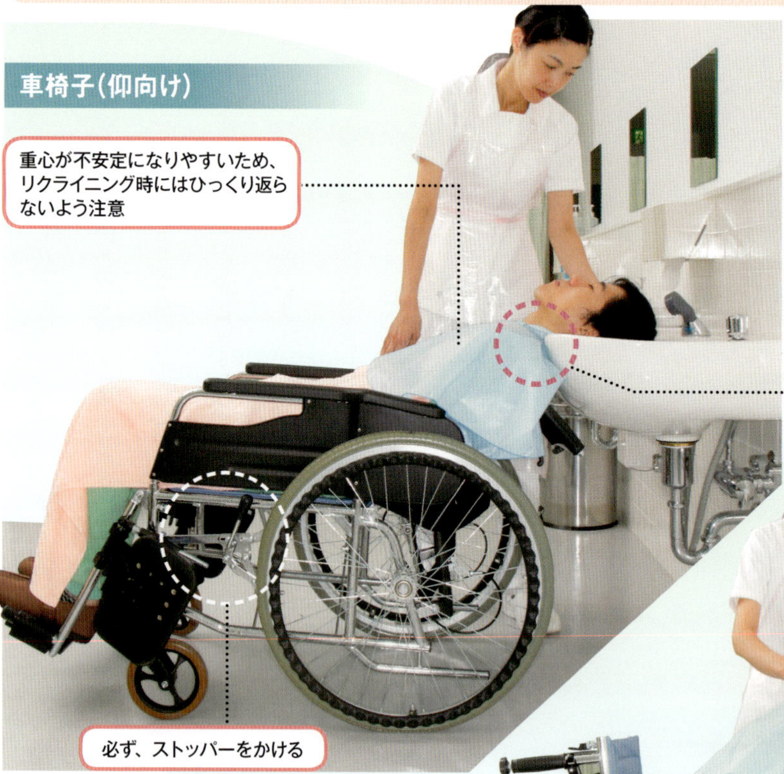

- 重心が不安定になりやすいため、リクライニング時にはひっくり返らないよう注意
- 固定部にタオルを当て、安定させる
- 必ず、ストッパーをかける

車椅子(前傾・前屈)

前傾・前屈姿勢の場合は、患者の足を床に着けて安定させる。

- 足を床に着け、安定させる

ストレッチャー(仰臥位)

ストレッチャーを用い、仰臥位をとる場合は、頭頸部が後屈しないよう整える。

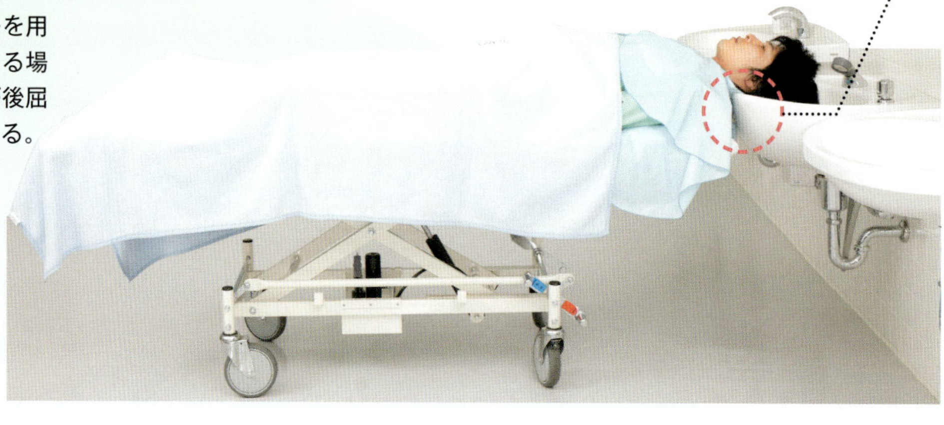

- 固定部にタオルを当て、安定させる

清潔の援助

PROCESS ❸ 観察、後片付け

❶ 頸部の疼痛、気分不快がないか確認する。頭部の皮膚の損傷はないか、耳に水が入っていないかを確認する。

❷ 床やリネンが濡れていないかを確認する。ベッドの高さ、ストッパー、ベッド柵、ナースコールなどを元に戻す。使用した物品を洗浄して、元に戻す。

爪切り・洗髪 Q&A

Q ニッパーで爪を切る場合は？

A 家庭で使用されることの多いタイプの爪切りと違い、ニッパーは先端が曲線になっていて、爪の形に合わせてカットすることができる。肥厚した爪などは、ニッパーのほうが切りやすい。

Q 洗髪台は仰向け、前屈姿勢のどちらがよい？

A 前屈姿勢を長時間とると、頸部・肩部にかかる負担が大きい。
一方、仰向けの姿勢は、頸部が後屈せず安定して保持されていれば、苦痛は少ない。ただし、仰向けの姿勢は腹筋が緊張するため、腹部に創がある患者など、筋緊張を避けたい場合には不向きである。
前屈姿勢は、呼吸苦のある患者や、顔面に水滴がかかるのを避けたい場合には、不向きである。

Q ケリーパッドがない場合は？

A ケリーパッドがない場合は、新聞紙やバスタオル、ビニール袋を利用して代用品をつくることができる。
また、洗髪台を利用したり、ドライシャンプーをていねいに行うなどの方法でもよい。

①バスタオル（または新聞紙）を丸めて、U字型にし、ひもでしばる。
▼
②丸めたバスタオルをビニール袋に入れる。ビニール袋の端を汚水用バケツに誘導し、洗濯ばさみでとめ、形を整える。

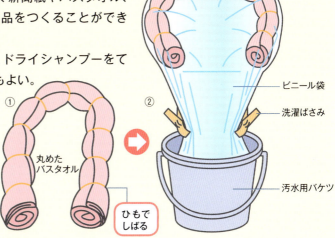

CHAPTER 4

陰部洗浄

陰部は、排泄物や分泌物で汚染される。不快感を生じるだけでなく、感染予防の面からも、1日1回はトイレの洗浄機能や洗浄ボトルを利用して、湯で洗い流す。陰部は皮膚とは異なり粘膜であるため、外界からの刺激に弱い。38〜40℃程度の湯を用い、強くこすらないよう注意する。

PROCESS 1 必要物品の準備

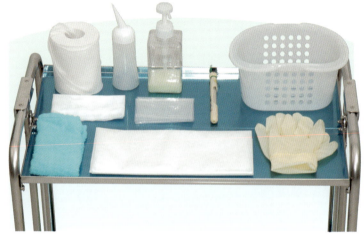

❶ 38〜40℃の湯を入れた陰部洗浄用ボトル
❷ トイレットペーパー
❸ 便器　❹ 防水（ラバー）シーツ
❺ 陰部用タオル
❻ 柔らかいディスポーザブルガーゼ
❼ 石けん　❽ ビニール袋
❾ 手袋・マスク・プラスチックエプロン
❿ 処置用シーツ
⓫ 湯温計

PROCESS 2 陰部洗浄の実施

臥床患者の陰部洗浄　4-7

- タオルを山型にして置く
- 露出は最小限に
- 便器
- 防水シーツ＋処置用シーツ

❶ 仰臥位をとり、軽く股間を開いてもらう。恥骨部にタオルを山型にして置き、洗浄水で寝衣がぬれないようにする。便が出ている場合は、手袋につかないよう、ペーパーでつまむように取り除く。

清潔の援助

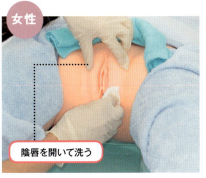
女性 — 陰唇を開いて洗う

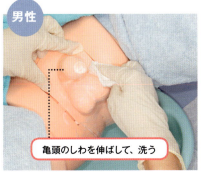
男性 — 亀頭のしわを伸ばして、洗う

❷ 湯で陰部を湿らせ、柔らかいディスポーザブルガーゼに石けんを泡立てる。泡で包み込むように、陰部をやさしく、ていねいに洗う。尿道部→肛門部の順に洗い、感染を防止する。石けん分を洗い流し、タオルで水分を拭き取る。

おむつ交換時の陰部洗浄

臨床現場では2人で行うことが多いため、動画では「2人で行うおむつ交換時の陰部洗浄」を収録。

4-8

❶ 側臥位にして、おむつを開き、ペーパーで便をつまむように取り除く。目にみえる汚れが手袋に付着した場合は手袋をかえ、おむつを交換する。

便をつまむようにして取り除く

❷ 湯で陰部を湿らせ、ディスポーザブルガーゼに石けんを泡立てる。

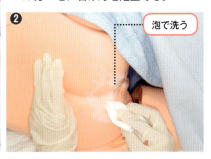
泡で洗う

❸ 湯で洗い流し、タオルで水分を拭き取る。

- 38〜40℃のぬるま湯
- 手袋が便で汚れたら適宜、交換
- 防水シーツ＋処置用シーツ

PROCESS ❸ 観察、後片付け

❶ 陰部、肛門部、仙骨部の皮膚・粘膜にトラブル、分泌物はないか観察する。湯をかけたときや、洗浄中に患者が疼痛を訴えたり、表情に変化がないかに注意する。

❷ 使用した汚物類は、ビニール袋に入れて廃棄する。汚水は洗浄室で処理し、便器などは洗浄・消毒する。看護師は手洗いを行う。

CHAPTER 4

手浴・足浴

人は手でさまざまなものに触り、生活行動を行う。自分で手を洗うことができない人は、食事・排泄時はもちろん、さまざまな場面で手指を清潔に保つ必要がある。手や足を湯に直接ひたすことで、汚れが落ちやすく、血液循環が促進され、リラックス効果もある。手や足に浮腫のある患者の場合は、強くこすったり押すことで、皮膚を損傷しやすいため、やさしく行う。

手足に麻痺や拘縮がある場合には、湯にひたすことで、温熱刺激により関節が柔らかくなり、指間が開きやすくなる。

PROCESS 1　必要物品の準備

① ベースン／手浴・足浴用バケツ
② 汚水用バケツ
③ 湯（40℃程度・60℃程度の２種類）・水
④ ピッチャー
⑤ タオル（フェイスタオル）
⑥ ディスポーザブルガーゼ
⑦ 処置用シーツ
⑧ 綿毛布／膝掛け
⑨ 石けん
⑩ 湯温計
⑪ 手袋・プラスチックエプロン
⑫ ビニール袋

PROCESS 2　手浴の実施

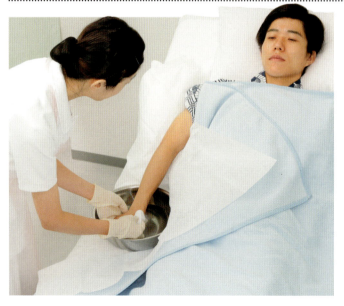

① 患者に説明し、ベッド端座位をとるか、ベッドをギャッチアップする。袖が濡れないよう、まくり上げる。

② 処置用シーツを敷き、湯を入れたベースンを準備する。
患者自身に湯の温度を確かめてもらい、手を湯につけて温める。皮膚に直接かからないようさし湯をし、温度を調節する。

③ ガーゼに石けんを泡立て、指の間、手掌・手背などをていねいに洗う。ピッチャーで湯をかけ、石けん分を洗い流す。タオルで拭き、指の間に水分が残らないようにする。

清潔の援助

PROCESS 2' 足浴の実施

4-10

仰臥位の場合

❶ 座位がとれない場合は、仰臥位をとる。両膝を立てて、クッションなどを当て、安定させる。

❷ 処置用シーツを敷き、湯を入れたベースンを準備する。
患者自身に湯の温度を確かめてもらい、足を湯につけて温める。この際、ベースンの縁で足が圧迫されないよう、両足が十分に湯につかるよう体位を整える。
手浴と同様にさし湯をし、温度を調節する。

❸ ガーゼに石けんを泡立て、足指の間、足背・足裏などをていねいに洗う。ピッチャーで湯をかけ、石けん分を洗い流す。タオルで拭き、足指の間に水分が残らないようにする。

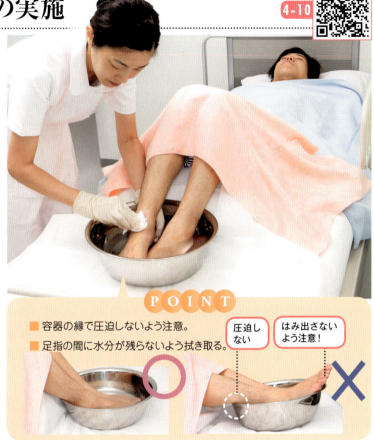

POINT
- 容器の縁で圧迫しないよう注意。
- 足指の間に水分が残らないよう拭き取る。

圧迫しない / はみ出さないよう注意！

座位の場合

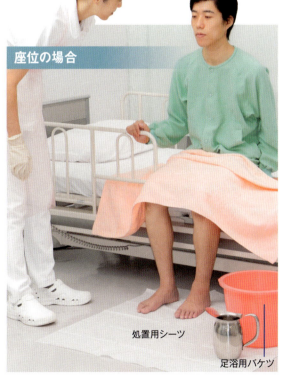

処置用シーツ / 足浴用バケツ

❶ 患者に説明し、座位が可能なら、ベッドや椅子に腰かけてもらう。処置用シーツを敷き、ズボンが濡れないようまくり上げる。

❷ 足浴用バケツに湯を入れて準備し、患者自身に湯の温度を確かめてもらう。バケツに足をつけて、温める。直接、皮膚に湯がかからないようさし湯をし、温度を調節する。
バスタオルや膝掛けで足全体を覆うと保温される。

❸ ガーゼに石けんを泡立て、足指の間、足背・足裏などをていねいに洗う。ピッチャーで湯をかけ、石けん分を洗い流す。タオルで拭き、足指の間に水分が残らないようにする。

CHAPTER 4 清潔の援助

CHAPTER 4

PROCESS 3 観察、後片付け

❶ 患者に疲労や状態の変化がないか、皮膚を傷つけていないかを観察する。

❷ 床が濡れていたら拭き、汚水は洗浄室で処理する。使用した物品を洗浄し、片付ける。

手浴・足浴  Q&A

 Q 足浴の睡眠効果は？

A 足浴の睡眠に対する効果に関する17の研究において、半数以上の患者が足浴によって睡眠状態の改善を認め、入眠しやすさ、眠りの深さ、目覚めのよさなどの効果がみられたと報告されている。

足浴を行うと皮膚温が上昇し、深部体温が低下する。深部体温低下期に睡眠が起こりやすいため、足浴による睡眠状態の改善が認められたと考えられる（文献4）。

ヒヤリ・ハット 事例から学ぼう！

事例1 浴室の床で滑って転倒！
→浴室の床や手すりは、石けんや水分で滑りやすい。通常よりはるかに転倒リスクが高いことを認識しておく。

事例2 浴槽内でおぼれた！
→湯につかると浮力で身体が安定せず、姿勢を崩しておぼれそうになることがある。事前に浴室の使い方に慣れ、介助の途中で患者から目を離すことがないよう、必要物品は手元に準備しておく。

事例3 爪を切る際、皮膚まで切った！
→患者と向かい合わせになって爪を切ると、どこまで切ればいいかわからず、深く切りすぎる場合がある。
また、爪を切る際、皮膚まで切りそうになったり、指を傷つけて流血した事例がある。
爪を切る際は、爪切りの使用法や特徴を知り安全に使用する。やすりかけは爪を平らに安定させて行う。

清潔の援助

あなたならどうする？　　　複合事例④

あなたは、慢性腎不全のため、3日に1回は血液透析療法を受けている岸田正一さん(70歳・男性)を受け持っています。
透析療法を受けた日は倦怠感が強く、ベッドに横になっています。

また、長年、椎間板ヘルニアを患って腰痛があり、1人で入浴をするのはむずかしい状況です。

岸田さんは、3日前にタオル清拭を受けました。

皮膚は乾燥して落屑が多く、瘙痒感もあります。

「かゆくてしょうがないんだ。お風呂に入って、さっぱりしたいなあ」

3日前

あなたなら、どのような清潔ケアを計画しますか？

対応例

● 岸田さんは皮膚の乾燥や瘙痒感があるため、保湿が必要である。腰痛があるが、入浴したほうが清潔になり、温熱効果により疼痛の軽減にもつながる。透析療法を受けた日は疲労感が強いことから、透析療法を実施しない日に、入浴介助を行う。

● 岸田さんは腰痛があるため、入浴時に転倒の危険がある。移動の介助を行い、手の届かないところを洗う際に援助する。シャント部はぶつけたり、強くこすらないように注意する。

● 下着・パジャマの着替えは、できる部分は自分でやってもらう。

CHAPTER 4

？ あなたならどうする？　複合事例⑤

西川くに子さんは、70歳のやせた女性です。**3日前に自宅で倒れている**ところを発見され、**救急車で病院に搬送**されました。

風邪が悪化し、高熱状態が続いています。

解熱薬が投与され、今朝は、**体温が下がり、背中に発汗**しています。**吐き気があるため、和式寝巻の襟元も汚れています。**動くと吐き気があるため、トイレはベッド上で尿器を用いて行っています。自分で体の向きを変えることはできます。

あなたなら、どのようなケアを行いますか？

　

対応例

- バイタルサインを測定し、西川さんの苦痛が強くなければ、着替えと上半身背部清拭を提案する。
- 吐き気があるため、短時間で着替え、かつ爽快感を得られるように上半身背部清拭のみを行う。下肢は別の機会に行う。
- 体位変換時に吐き気が誘発されないよう、ゆっくり体の向きを変える。
- やせているため、褥瘡のリスクを考え、清拭時に背部の皮膚の状態を観察する。

CHAPTER 5 口腔ケア

口腔ケアには、主に感染予防効果が期待される。
看護師がかかわる対象者は、治療の影響による全身状態が
口腔内に反映されていることが多い。
呼吸や消化といった身体的・機能的側面への影響だけでなく、
発語や審美性など、心理面への影響も大きい。

目 的
1. 口腔内清掃による衛生保持
2. 口腔機能（咀嚼・嚥下・構音・発声・呼吸・形態）の回復・保持と低下予防
3. 感染症（主に誤嚥性肺炎）の予防
4. 意識の覚醒や生活リズムの獲得

適 応
口腔機能や口腔ケア動作に機能的（体力低下・麻痺・治療など）、認知的に障害があり、自ら行えない場合

■口腔の構造

口腔内は歯、口蓋、舌、口峡などで構成されている。

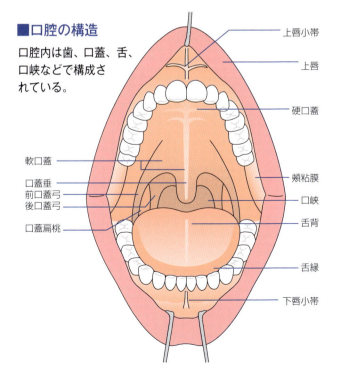

（ラベル：上唇小帯、上唇、硬口蓋、軟口蓋、口蓋垂、前口蓋弓、後口蓋弓、口蓋扁桃、頬粘膜、口峡、舌背、舌縁、下唇小帯）

■口腔の機能

口腔は、消化器・呼吸器・感覚器・運動器と多くの役割を果たす重要な器官である。

各部位	機 能
歯	咀嚼・咬合・顔面形態・発声
舌	味覚・食塊形成・輸送・嚥下・発音
粘 膜	味覚・消化吸収・保護・食塊形成・輸送
唾 液	円滑・洗浄・抗菌・消化・味覚・粘膜保護
空 間	発声、食べ物の貯留、顔面形態

CHAPTER 5

■口腔ケアの意義

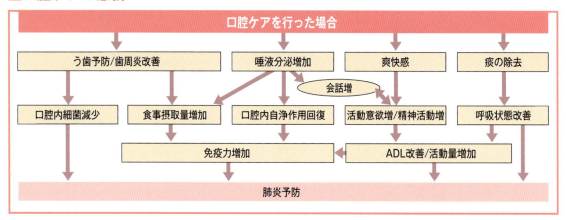

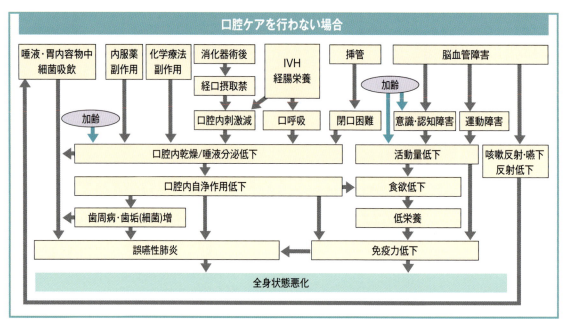

事前のアセスメント		
全　身	全身状態・栄養状態・心理状態・安静度・治療・経口摂取・麻痺・認知障害・嚥下障害・開口障害・感覚障害	1.上体を起こせるか　6.開口状態を保持できるか 2.同じ姿勢を保てるか　7.水を吸うことができるか 3.歯ブラシを見ることができるか　8.水を口腔内に保持できるか 9.嚥下時、むせこみはないか
口腔内	疼痛・腫れ・出血・湿潤状態・色・創部・口臭・口渇・う歯・欠損歯・義歯・食物残渣・歯垢・痰・舌苔	4.歯ブラシを持てるか　10.水を吐き出すことができるか 5.口が開けられるか

実施時の留意点

● できる部分は自分で行い、看護師は補う形で介助　→（例）下の歯は自分で、上の歯を介助
● 誤嚥に気を付け、看護師・患者とも姿勢・体位を整える　→（例）患者の顎が上がらないよう、下方から働きかける
● 患者の状態に合わせて物品を選択　→（例）炎症症状、出血傾向のある方には柔らかい毛のブラシを用意
● 患者の反応・状態を記録して、情報をスタッフで共有→（例）ブラッシングができるようになったので、次回、自力でのブラッシングを促す

口腔ケア

歯ブラシを用いた口腔ケア

PROCESS 1 必要物品の準備

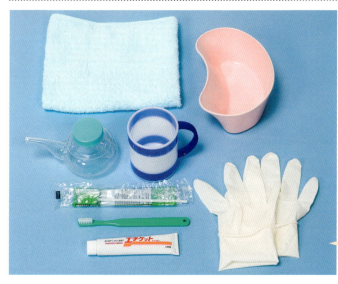

❶ 歯ブラシ
❷ 歯磨き粉
❸ スポンジブラシ
❹ ガーグルベースン
❺ 吸い飲み
❻ コップ
❼ タオル
❽ 手袋
❾ プラスチックエプロン
❿ ゴーグル
⓫ マスク

POINT
- 歯ブラシは、ブラシ部分が小さめで、毛先が柔らかめのものを選択する。
- スポンジブラシは、綿棒で代用してもよい。

PROCESS 2 患者への説明と同意、体位

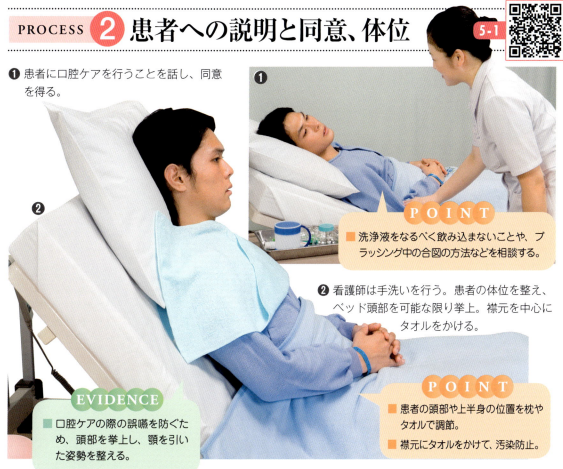

❶ 患者に口腔ケアを行うことを話し、同意を得る。

POINT
- 洗浄液をなるべく飲み込まないことや、ブラッシング中の合図の方法などを相談する。

❷ 看護師は手洗いを行う。患者の体位を整え、ベッド頭部を可能な限り挙上。襟元を中心にタオルをかける。

EVIDENCE
- 口腔ケアの際の誤嚥を防ぐため、頭部を挙上し、顎を引いた姿勢を整える。

POINT
- 患者の頭部や上半身の位置を枕やタオルで調節。
- 襟元にタオルをかけて、汚染防止。

CHAPTER 5

PROCESS 3 口腔内の観察とうがい

5-2

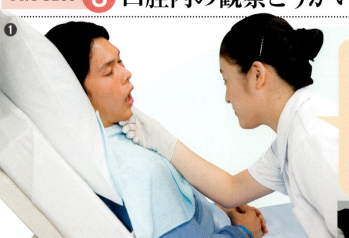

POINT
- 汚れ・出血・腫脹・色・湿潤・口臭・舌苔などを観察。
- ペンライトを利用すると観察しやすい。
- 食物残渣があれば、その部位の機能が弱っている可能性がある。

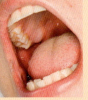

❶ ベッドサイドランプを調節する。患者に声をかけ、口腔内を観察。義歯があれば外す。

POINT
- 患者自身に鏡で口腔内を見て、確認してもらうとよい。

顎を下げる

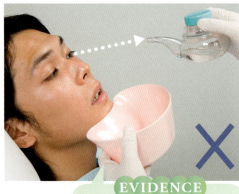

EVIDENCE
- 高い位置から吸い飲みを近づけると、患者の目線が上がり、顎が上がって誤嚥の原因となる。

❷❸ 吸い飲みで水を口に含み、うがいをしてもらう。顔を片側に少し傾けてもらい、ガーグルベースンを当て、静かに吐き出すよう促す。

顔を片側に少し傾ける

EVIDENCE
- 初めにうがいを行うことで、大きな汚れ（食物残渣・痰など）が除去でき、口腔内も湿らせることができる。

口腔ケア

PROCESS 4 ブラシによる歯磨き

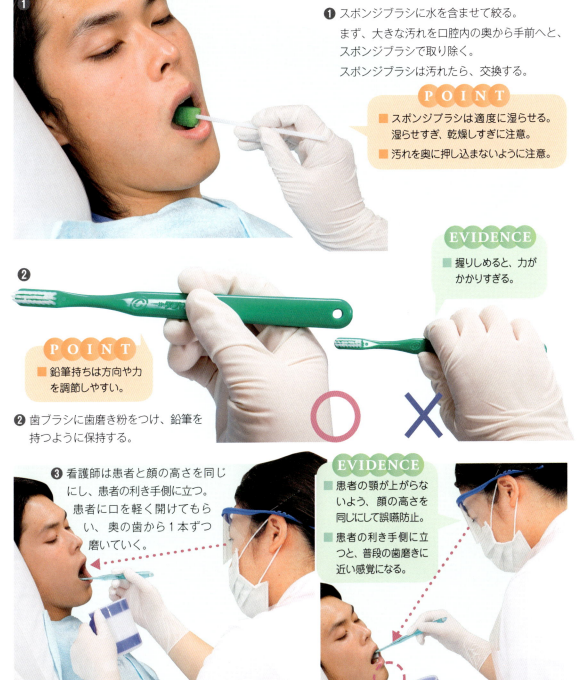

❶ スポンジブラシに水を含ませて絞る。
まず、大きな汚れを口腔内の奥から手前へと、スポンジブラシで取り除く。
スポンジブラシは汚れたら、交換する。

POINT
- スポンジブラシは適度に湿らせる。湿らせすぎ、乾燥しすぎに注意。
- 汚れを奥に押し込まないように注意。

EVIDENCE
- 握りしめると、力がかかりすぎる。

POINT
- 鉛筆持ちは方向や力を調節しやすい。

❷ 歯ブラシに歯磨き粉をつけ、鉛筆を持つように保持する。

❸ 看護師は患者と顔の高さを同じにし、患者の利き手側に立つ。患者に口を軽く開けてもらい、奥の歯から1本ずつ磨いていく。

EVIDENCE
- 患者の顎が上がらないよう、顔の高さを同じにして誤嚥防止。
- 患者の利き手側に立つと、普段の歯磨きに近い感覚になる。

顎が上がると誤嚥の原因に！

CHAPTER 5

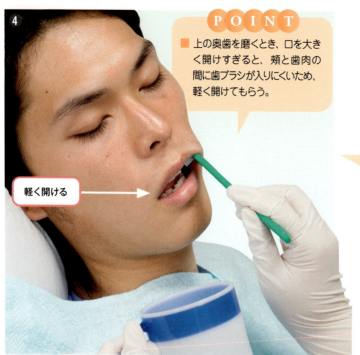

POINT
- 上の奥歯を磨くとき、口を大きく開けすぎると、頬と歯肉の間に歯ブラシが入りにくいため、軽く開けてもらう。

軽く開ける

❹ 歯間部を意識して、しっかりと磨く。歯磨きの際は、口腔機能のリハビリテーションを意識して行う。

POINT
効果的な歯磨き法
- スクラブ法は歯ブラシを歯面全体に90度の角度で当て、バス法は歯と歯肉の境目に歯ブラシを45度の角度で当て、細かく振動させて磨く。
- この2つの方法を組み合わせて磨くと効果的。
- 歯肉を毛先で磨くと痛いので注意。

スクラブ法 90°

バス法 45°

うっかり！
- 歯磨きに集中するあまり、唾液がたまっているのに気づかず、患者がむせこんでしまった！
→ 歯磨き中には話せないため、サインを決めておく。

❺ 口腔内に唾液や水分がたまってきたら、ガーグルベースンに、静かに吐き出してもらう。

POINT
- 口腔内の1つの側面が終わるごとにブラシをすすぐ。
- ブラシをすすぐ間に、呼吸を整えてもらう。

❻ ブラシが汚れたら、水ですすいで使用する。

口腔ケア

❼ 歯磨きを終えたら、舌の表面を歯ブラシでやさしくブラッシング。舌苔を軽く除去する。

POINT
- 柔らかめの歯ブラシで軽く行う。
- 舌苔を全部とる必要はない。傷つけないよう、あくまで軽く行う。

❽ 口にたまった唾液や汚れを吐き出し、吸い飲みで水を含んでうがいをしてもらう。
吐き出す液がきれいになるまで繰り返す。

うっかり！
- 勢いよく水を吐き出したため、ガーグルベースンから水がこぼれ、寝衣・シーツが汚染してしまった！
→ 静かに吐き出すよう声をかける。

❾❿ 口の周囲をタオルで拭き、患者の口腔内やむせこみがないかを観察する。患者の寝衣、ベッド周囲を整えて、終了を告げる。

POINT
口腔内を観察
- 口腔内に損傷や出血はないか？
- 汚れが残っていないか？

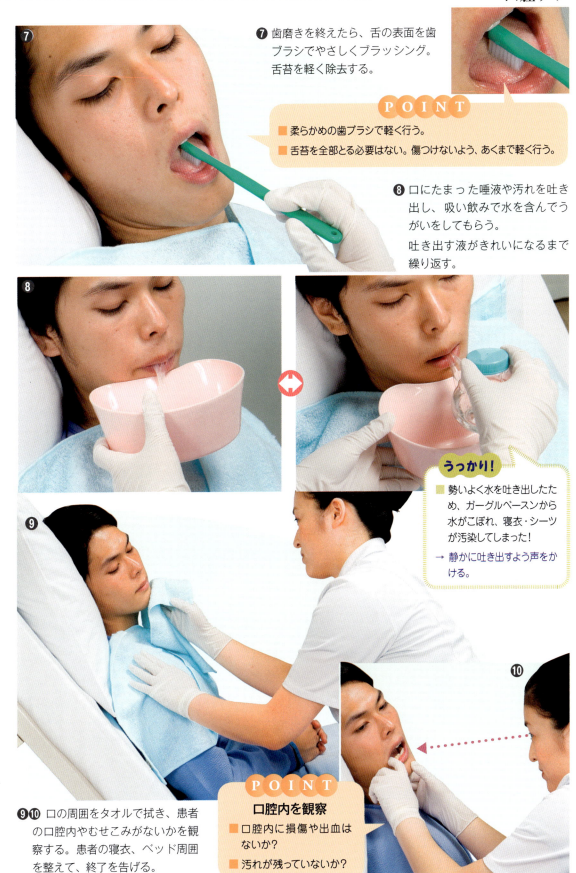

CHAPTER 5

吸引を利用した口腔ケア

適応 うがいができない方で、以下の場合に吸引を利用する。
1. 洗い流したほうがよいほどの汚れや出血があるときや、歯磨き粉を使用したとき。
2. 唾液貯留や分泌物が多いとき。

PROCESS 1 必要物品の準備

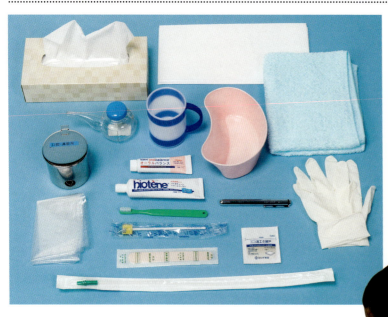

1. 歯ブラシ 2. 吸い飲み
3. スポンジブラシ 4. コップ
5. 手袋 6. タオル
7. ガーグルベースン
8. 舌圧子 9. ペンライト
10. 口内保湿・潤滑ジェル
11. 歯磨き粉
12. 口腔・鼻腔吸引用カテーテル
13. アルコール綿 14. 滅菌万能つぼ
15. 処置用シーツ 16. 吸引器
17. ビニール袋
18. ティッシュペーパー
19. プラスチックエプロン 20. マスク
21. ゴーグル

POINT
- 歯磨きを行い、口の中に水を流しながら吸引すること、水を飲み込まないことを説明する。
- つらくなったときのサインを決めておく。

看護師は患者に説明を行い、手を洗った後、物品・吸引器の準備を行う。

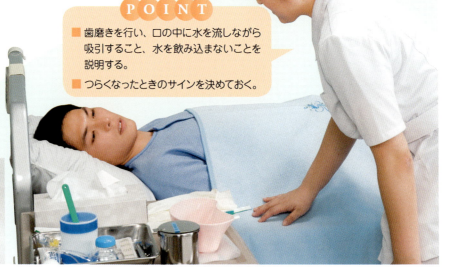

PROCESS 2 体位を整え、口腔内を観察

口腔ケア

5-4

❶ 患者の体位を整える。ベッド頭部に処置用シーツを敷き、襟元をタオルで覆う。顔はできるだけ横に向け、タオルなどで保持する。

POINT
- 顔を横に向け、顎を引くのがポイント。
- 顔を横に向けられない場合は、半側臥位をとる。
- 麻痺がある場合は、健側を下にする。

EVIDENCE
- 顔を横に向け、顎を引いて誤嚥を防止する。

❷ 歯ブラシは少し湿らせ、吸い飲み・コップに水を入れる。使用する物品は、手の届く範囲に配置する。

POINT
- 水を流しはじめてから、患者のそばを離れるのは危険。必要物品は手の届く範囲に、すぐに使える状態で配置する。

❸ 看護師は、患者が顔を向けている側に立つ。開口を促し、口腔内を観察。痰や唾液が貯留していれば、吸引する。
開口を保持するのがむずかしい場合は、バイトブロックを使用。義歯があれば、外す。

POINT
- 観察ポイント：汚れ・出血・発赤・腫脹・色調・湿潤・舌苔・痰・口臭など。
- バイトブロックを使用する場合は、咽頭に落ち込んだり、舌で押し出していないかを確認。

CHAPTER 5

PROCESS ③ 吸引を利用した歯磨き

5-5

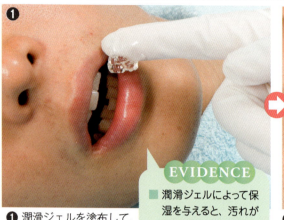

❶ 潤滑ジェルを塗布して、口腔内を湿らせる。

EVIDENCE
■ 潤滑ジェルによって保湿を与えると、汚れが取り除きやすくなる。

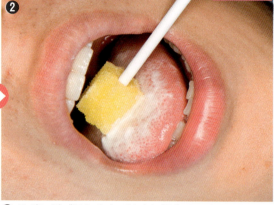

❷ スポンジブラシを水で適度に湿らせ、大きな汚れを口腔の奥のほうから取り除く。

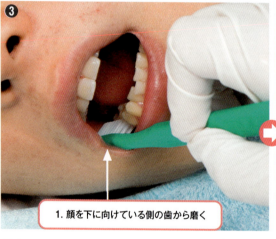

1. 顔を下に向けている側の歯から磨く

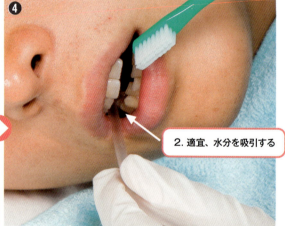

2. 適宜、水分を吸引する

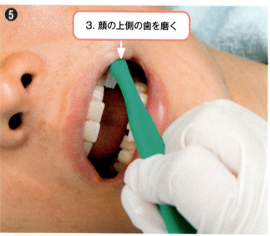

3. 顔の上側の歯を磨く

❸❹❺ 歯ブラシは、顔を下に向けている側の奥歯から当て、1本ずつ磨いていく。毛先を歯に垂直に当て、左右に細かく動かす。途中、唾液や水分を適宜、吸引し、上側の歯も磨く。

EVIDENCE
歯磨きの手順

顔を下に向けている側の歯を磨く
▼
適宜、水分を吸引する
▼
顔の上側の歯を磨く
▼
適宜、水分を吸引する

■ 顔の上側の歯から磨くと水分や唾液が咽頭に流れ、むせると下側を磨けなくなる可能性がある。

口腔ケア

CHECK!

吸引に便利な歯ブラシ
- 最近は、歯ブラシと吸引チューブが一体になった製品が市販されている。歯磨きと同時に吸引を行うことができ、便利である。

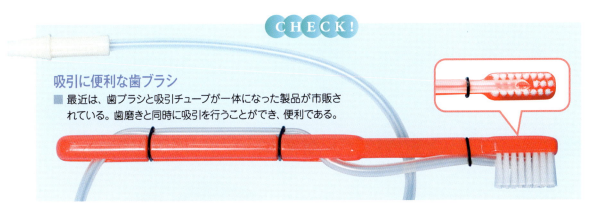

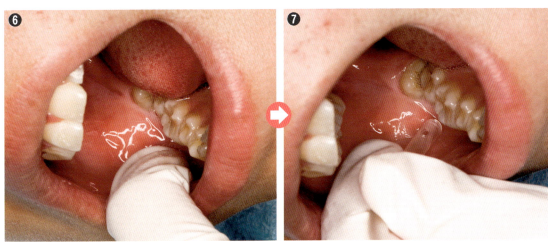

❻❼ 下に向けている側の頬の内側に指を滑らせて入れ、水をためる空間をつくる。そこに吸引チューブの先端を入れる。

POINT
- 吸引に集中し、頬を広げすぎないよう注意。
- 一気に水を流さないよう注意。

POINT
- 咽頭に流れ込む確率が高いので注意。
- 吸引チューブの先端で口蓋垂を刺激しないよう注意。

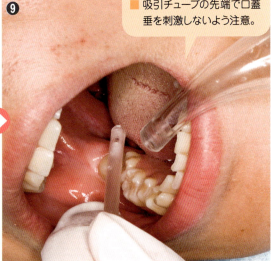

❽ 吸引チューブと反対の手に吸い飲みを持ち、歯に沿わせるように水を少しずつ、流す。初めに、下に向けている側の歯の外側に流す。咽頭のほうに流れた水は、適宜、吸引する。

❾ 軽く口を開けてもらい、吸引チューブの先端を下に向けた側の歯の内側に移動させ、少しずつ水を流して吸引する。咽頭に流れ込みやすいので、水を流さずに拭き取ることもある。

CHAPTER 5

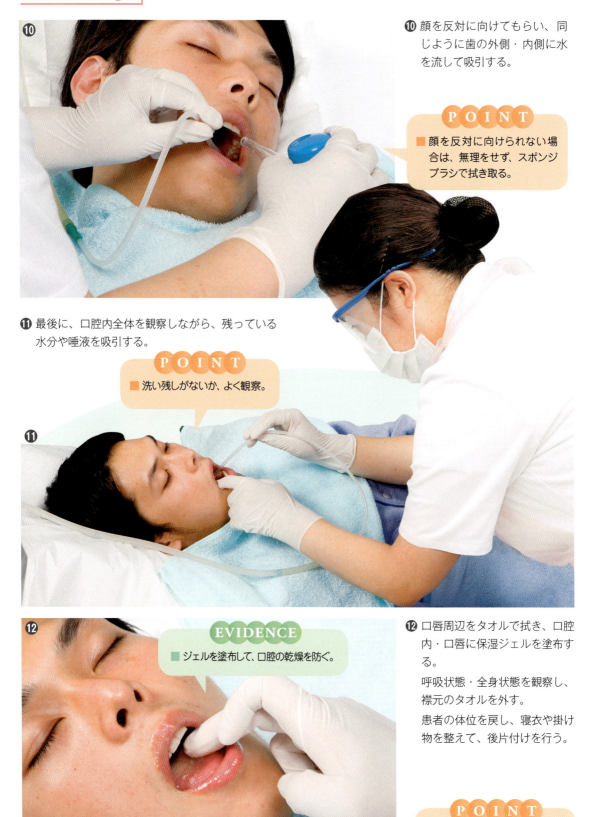

❿ 顔を反対に向けてもらい、同じように歯の外側・内側に水を流して吸引する。

POINT
■ 顔を反対に向けられない場合は、無理をせず、スポンジブラシで拭き取る。

⓫ 最後に、口腔内全体を観察しながら、残っている水分や唾液を吸引する。

POINT
■ 洗い残しがないか、よく観察。

⓬ 口唇周辺をタオルで拭き、口腔内・口唇に保湿ジェルを塗布する。

呼吸状態・全身状態を観察し、襟元のタオルを外す。

患者の体位を戻し、寝衣や掛け物を整えて、後片付けを行う。

EVIDENCE
■ ジェルを塗布して、口腔の乾燥を防ぐ。

POINT
■ 特に、呼吸状態の変化に注意！

義歯の清掃と保管

PROCESS 1 必要物品の準備

① 義歯専用歯ブラシ
② 義歯保管容器
③ 手袋
④ ガーグルベースン
⑤ コップ
⑥ スポンジブラシ
⑦ タオル

POINT

- 義歯専用歯ブラシがない場合は、義歯を傷つけない柔らかい歯ブラシで行い、義歯専用とする。
- 義歯を磨いた歯ブラシで、口腔内をケアすると、ブラシの傷みが激しいため、粘膜を傷つけるおそれがある。
- 義歯専用歯ブラシの硬い毛先は金具の部分に、柔らかい毛先はそれ以外の部分に使用する。

柔らかい毛先　硬い毛先

PROCESS 2 義歯の取り外し方

看護師は手洗いを行い、手袋を着用する。患者に口を開けてもらい、義歯を確認。義歯を持ち、ゆっくりと力をかけて静かに取り出し、ガーグルベースンに入れる。
うがいを行ってもらう。残歯がある場合は歯磨きを、残歯がない場合は、スポンジブラシや粘膜ブラシで口腔内の汚れを除去する。

総義歯の場合

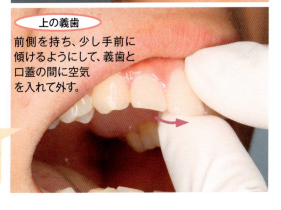

下の義歯
前側を上に持ち上げるか、少し傾けて外す。

上の義歯
前側を持ち、少し手前に傾けるようにして、義歯と口蓋の間に空気を入れて外す。

部分義歯の場合

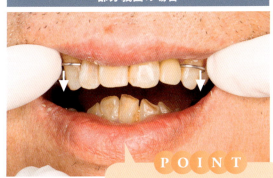

金具の両端に爪をかけ、左右平行に取り外す。

POINT

- 外した義歯は、ティッシュペーパーに包むなどすると、紛失する可能性が！　保管容器に入れる。

口腔ケア

CHAPTER 5

PROCESS 3 義歯の洗浄

POINT
- 義歯は、高価なものである。取り扱い時は、落とさないよう注意する。
- たとえ、義歯を落としてもダメージが少ないよう、水をはったガーグルベースンの上で操作する。

❶ 洗面台のシンクに水をはったガーグルベースンを置き、その上で義歯をゆすぎ、ブラッシングを行う。

POINT
- 水を流しながらブラッシング。

うっかり！
- 義歯を落とし、破損してしまった！
- → あらかじめ下に水をはっておくと、ダメージを少なくできる。

❷❸ 義歯のブラッシングと洗浄を行う。ブラッシングで汚れを取るのが基本。ときに義歯洗浄剤を用い、清潔を保つようにする。

POINT
- ブラッシング時には、義歯のどこが汚れているのか、どうして汚れているのかを確認する。
- 粘膜側に食物残渣がある場合は、そこに隙間があり、義歯が合っていないことになる。歯科医に相談し、調整してもらう。それまでの間、義歯安定剤を利用する。

口腔ケア

PROCESS 4 義歯の装着

義歯を装着する際は、上の義歯から入れ、次に下の義歯を入れる。装着後は、ゆっくりかんで、合っていることを確認する。

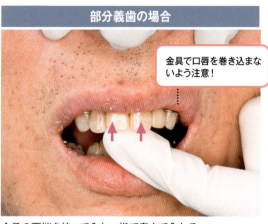

部分義歯の場合

金具で口唇を巻き込まないよう注意！

金具の両端を持って入れ、指で奥まで入れる。

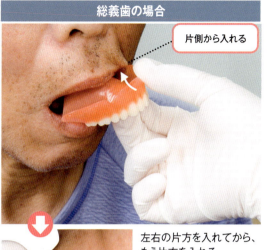

総義歯の場合

片側から入れる

左右の片方を入れてから、もう片方を入れる。麻痺がある場合は、麻痺側から入れる。

義歯を入れたら、最後に指で中央を押して、密着させる。

口唇を巻き込まないよう注意！

EVIDENCE

義歯装着の手順

上の義歯を入れる
↓
下の義歯を入れる

■ 下の義歯からはめると、上の義歯を入れる際、引っかかって入れにくい。

PROCESS 5 義歯の保管

義歯は専用の保管容器に入れ、十分に浸るぐらい水をはり、ふたをして保管する。紙やハンカチに包んでおくと、紛失の可能性があるため、義歯保管容器に入れることを習慣づける。

POINT

■ 水をはった容器に保管する。
■ 基本的に、夜間は義歯を外す。本人の希望により夜間も装着する場合には、日中、数時間外すなど、粘膜を休める時間帯をつくる。

EVIDENCE

■ 高温の湯や乾燥により、義歯が変性することがある。

うっかり！

■ 隣の人の義歯をはめてしまった！
→ 保管容器には、名前を明記する。

水をはっておく

CHAPTER 5

口腔リハビリテーション

口腔ケアのかかわり自体がリハビリテーションとなるが、
機能回復のためのアプローチとして、より意識的に行っていきたい。
口腔ケアと口腔リハビリテーションを組み合わせると効果的である。

目 的　口腔機能の回復・維持・改善。

適 応　口腔機能の低下した方
　　　　　例えば、以下のような症状がある場合（p243, ビデオ1より）

1. 唇が完全に閉じない。
2. 口をいつも開けている。
3. 舌がまっすぐに出ない。
4. 両頬を触ったとき、左右の感覚が違ったり、しびれ感や重い感じがする。
5. お茶など、熱いものが感じにくく、やけどをする。
6. 食べ物が頬と歯肉の間に残る。
7. よだれを流す。
8. 食べこぼす。
9. むせる。

■口腔周辺の筋肉

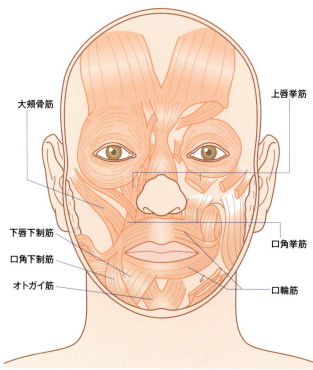

大頬骨筋
上唇挙筋
下唇下制筋
口角下制筋
オトガイ筋
口角挙筋
口輪筋

実施時の留意点

- 全部位を行う必要はなく、口腔ケアの際、機能低下している部分のみに行うとよい。
- 歯のブラッシング時に、舌・頬・歯肉・口唇に軽く触れ、刺激を与える。
- どの部位を行っているのか、意識して行う。
- 無理に広げたり、強い力を加えたりしない。
- 過敏な部位へは、はじめはそっと触れるだけにし、慣れてくるのを待つ。
- その方の反応に注意し、自分でできる部位は自ら行ってもらう。
- 体調と回復状況に合わせて、回数・時間を変える（回数を増やしたり、同じ回数でも時間を短くしたりする）。
- 使用する用具は、その方の段階に合わせて変えていく。

― 口腔ケア

PROCESS 1 必要物品の準備

❶ 歯ブラシ　❷ タオル
❸ コップ　　❹ 手袋

POINT
- はじめは、歯ブラシの背の部分が痛く感じるため、スポンジブラシや球面ブラシのような柔らかいもので行う。

球面ブラシ

スポンジブラシ

PROCESS 2 患者への説明と同意、観察

❶ 患者に説明を行い、同意を得る。看護師は手洗いを行う。患者の体位を整え、物品を準備する。

POINT
- 観察時の開口も、開口訓練の1つである。

❷ 口を大きく開けてもらい、口腔内を観察する。義歯の方は装着したままでよい。

CHAPTER 5　口腔ケア

CHAPTER 5

PROCESS 3 頬への刺激

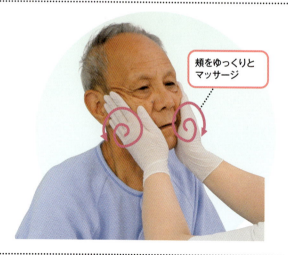

頬をゆっくりとマッサージ

両手でやさしく頬を包み込み、ゆっくりと円を描くようにマッサージを行う。

POINT
- マッサージは、相手の緊張をとる効果もある。
- 唾液腺の部位を意識してマッサージする。

EVIDENCE
- 唾液の分泌を促す効果があり、口腔ケアの前に行うとよい。

PROCESS 4 頬粘膜への刺激

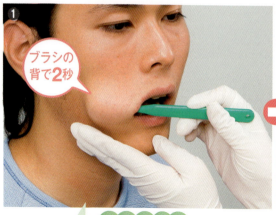

ブラシの背で2秒

3回

EVIDENCE
- 手を添えることで顔を固定し、伸ばし具合もわかる。

POINT
健側から先に行うのが原則
- 刺激は、すべて健側から先に行う。健側から行うことで麻痺側の感覚の程度がわかり、施行者も力のかけ具合がわかる。
- ブラシは口唇を基点にして、先端を上下させる。ブラシ全体を動かして、口唇を引っ張らないよう注意！

口唇を引っ張らない

❶❷❸ 看護師は手袋を装着し、歯ブラシを持つ。反対の手を顎（頬）に添えて、ブラシの背で内側から頬の筋肉を2秒間伸ばす。そのまま上下に歯ブラシを動かし、頬を広げるようにマッサージを往復3回行う。左右両側面に行う。

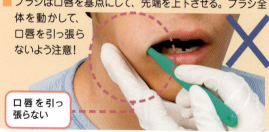

口腔ケア

PROCESS 5 頬と歯肉の間を刺激

5-8

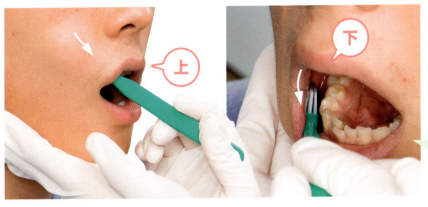
上 / 下

頬と歯肉の間をブラシの背で広げるようにし、奥から手前に持ってくる。左右両側面に行う。

EVIDENCE
- 前側は小帯があり痛みを伴うため、奥から行う。

PROCESS 6 歯肉への刺激

5-9

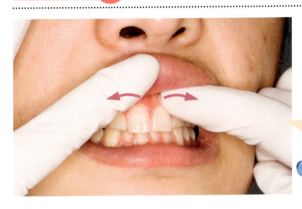

ブラシの背で歯肉を、正面の中央から奥へゆっくりと滑らす。痛みがある場合は、指や全面毛先のブラシで行う。上下左右2回ずつ行う。

POINT
- 小帯部は痛みがあるため、力を加えないようにする。
- スポンジブラシや粘膜ブラシで行うとよい。

粘膜ブラシ

PROCESS 7 舌への刺激

5-10

舌があまり動かない場合

中央→左右の順に3回

左右の縁を軽く3回

POINT
- 力を加えすぎないことがポイント。

❶ 舌の表面を毛先で軽くなでる。舌の中央→左右と3回行う。舌苔の除去にもなる。

❷ 舌の左右の縁をそれぞれ、軽く3回叩く。

CHAPTER 5

❸ 呼吸を促し、舌の先をガーゼで保持してゆっくりと引っ張り出す。3回行う。

> 呼気に合わせて3回

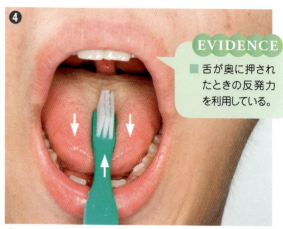

> **EVIDENCE**
> ■ 舌が奥に押されたときの反発力を利用している。

❹ 舌を持てない場合は、ブラシの背を舌の中央に置き、舌を奥に押すと、舌が前に出る。

舌が動く場合

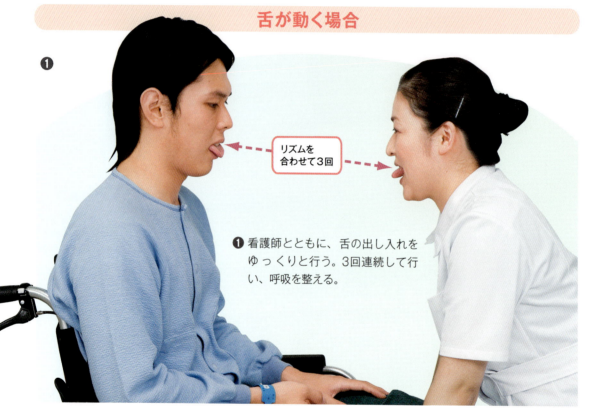

> リズムを合わせて3回

❶ 看護師とともに、舌の出し入れをゆっくりと行う。3回連続して行い、呼吸を整える。

> 左右3回

❷ 舌の先端を両口角に触れる。左右3回、繰り返す。

> **POINT**
> ■ 口角まで届かなければ、左右に動かすだけでもよい。
> ■ 口角の部分を指で触れて示したり、鏡を使用すると、本人が意識しやすい。

口腔ケア

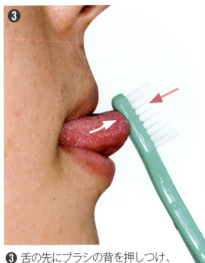

❸ 舌の先にブラシの背を押しつけ、押し返してもらう。

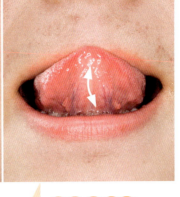

❹ 舌の先端で、上下の口唇をゆっくりとなめてもらう。
なめるのがむずかしい場合は、上下の口唇の一部に触れてもらう。

> **POINT**
> ■ なめ回すのがむずかしい場合は、触れるだけでよい。

PROCESS 8 口唇への刺激

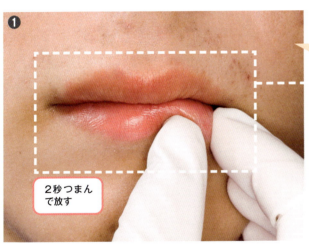

2秒つまんで放す

❶ 口唇を3分割した各部を、2秒間軽くつまんで放す。これを上下3回ずつ行う。

> **POINT**
> **口唇の3分割**
> ■ 口唇を上下3か所に分け、細かく刺激する。それぞれの部位で感覚を尋ねながら行う。
>
>
>
> ■ 3分割がむずかしい場合は、上唇・下唇と分けて行う。
> ■ 強くつまみすぎないよう、注意する。
> ■ 赤唇との境目をつまむ。
> ■ 放すときは、ゆっくり放すのではなく、パッと放す。

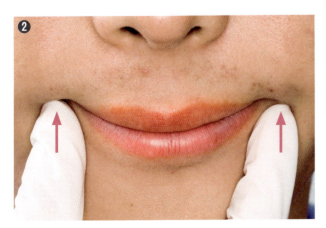

❷ 母指と示指を患者の口角に当て、ゆっくりと引っ張って、口角を上げる。

CHAPTER 5

PROCESS 9 頬への刺激

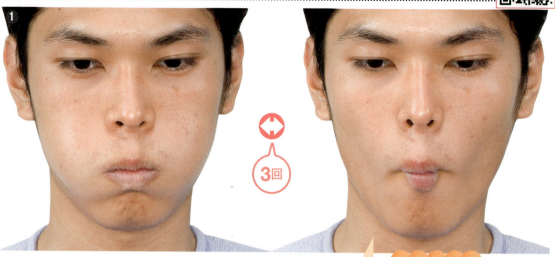

❶ 頬を膨らませたり、すぼませたりをゆっくり3回行う。

❷ 最後に、看護師は手袋を外し、両手で患者の両頬を軽くはさみ、やさしく円を描くようにマッサージを行う。

POINT
- すぼませるのがむずかしい場合は、口唇をとがらすだけでもよい。
- 口唇がしっかり閉じられているか、頬の膨らみが左右均等にできているかなどを観察する。

POINT
- やさしく円を描くようにマッサージ。

口腔ケア

口腔ケア

 歯ブラシは、どのように選ぶ？

歯ブラシを選ぶときは、毛（ブラシ）、ヘッド（先端部分）、柄（ハンドル）の3つの部分に注目する。

- 毛は、毛先の形状（丸まっているかとがっているか）、毛の長さ、全体の形（山切型など）に違いがある。市販品の多くがナイロン毛である。歯肉が弱っている方や敏感な方、粘膜に使用するときには、毛が柔らかいものを選択する。
- ヘッドは大きさが重要である。小さいほうが、細かい部位での操作が可能。目安は、「奥歯1本半から2本分」(文献8)である。挿管中の方などは、特に小さいヘッドのほうが使用しやすい。
- 柄は、鉛筆持ちのしやすいものがよい。握力が弱い方や片麻痺の方の場合は、柄が太いほうが握りやすく、保持しやすい。タオルなどを柄に巻いてもよい。

毛先が柔らかい

粘膜ブラシ

ヘッドの小さいブラシ

柄（ハンドル）⇒
鉛筆持ちのしやすいもの

ヘッド（先端部分）⇒
奥歯1本半～2本分

毛（ブラシ）⇒
毛先・長さ・形・柔らかさ

 歯磨き粉の用い方は？

歯磨き粉を多くつけると、磨き方によっては研磨剤で歯の表面を傷つける。発泡剤やミント風味が含まれているものは、すぐに磨いた気分になるため、磨き残しをしやすい。確実に汚れがとれるよう、ブラッシングをていねいに行い、補強するつもりで少量をつける。

少量でよい

 含嗽剤の用い方は？

含嗽剤は、口をゆすぐ、歯磨きに取って代わって洗浄や消毒を行う、あるいは両方を目的とするなど、さまざまな種類と使用法がある。
種類によって一長一短があり、患者の状態に合わせて選択する。消毒薬が入っている場合は、アルコール成分が含まれることが多く、アルコール成分の揮発が口腔内乾燥を助長する。閉口困難な方や抗がん剤を使用している場合は、湿潤剤などのその後のケアが必要である。
臨床場面で多くみられるポビドンヨードの利用は、長期使用による色素沈着や甲状腺への影響を考慮する。
物理的にブラッシングで汚れを除去することを忘れずに、含嗽剤を用いることが大切である。

CHAPTER 5

Q 口腔ケアはいつ行う?

A 口腔ケアは、口から食事をされている方は、食後に汚れを取り除く意味で行う。また、食前にうがいを行うと、食事の気分を高めたり、口腔内が潤うことで食物が円滑に咀嚼・嚥下しやすくなる。
経管栄養を行っている方も、清潔、唾液分泌促進のために口腔ケアを行う。
経管栄養開始中や直後は嘔吐を起こすことがあるので、食間や食前に行うとよい。

Q 口が開かない方はどうすればよい?

A 口が開かない理由として、心理的要因と機能的要因がある。
人前で口を開けることに抵抗があることを考慮し、介助者が立つ位置や姿勢に留意して声をかける。無理に開けようとすれば、介助者も必死の形相になり、相手の抵抗も強くなる。時間をおいたり、別の介助者がアプローチするのも1つの方法である。
顎関節の炎症や拘縮・筋緊張など、機能的に問題がある場合は、痛みが発生しない程度に開口し、ヘッドの小さい歯ブラシを用いてケアを行う。根本原因へのアプローチ（開口訓練やマッサージなど）も併行して行う。開口器を利用する際は、歯が折れたり、欠けたりすることがあるので、無理な力を加えないよう注意する。

Q 出血している場合は?

A 出血の多くは歯周病菌による感染であるため、ブラッシングによる歯垢の除去が望まれる。柔らかい毛でやさしくブラッシングをするか、スポンジブラシなどを利用する。
血液疾患の場合や、抗凝固薬を内服して出血傾向にある患者の場合こそ、口腔ケアが重要である。
普段から柔らかい毛でブラッシングし、感染予防に努める。軽い刺激でも歯肉からの出血がひどい場合は、歯肉に触れないよう歯だけをブラッシングする。
歯周病ではなく、咬んだり引っかけたりなどの外傷によるものは、軽くうがいを行ってその部位を確認し、医師に相談する。歯周病によるものか外傷性なのか、ケアを始める前に部位を確認することと、普段からの観察が重要である。

口が開かない理由 → 心理的要因
口が開かない理由 → 機能的要因

Q 舌苔はどうやって除去する?

A 舌苔は、舌の上皮と口腔内細菌が混合しているため、ごしごしと削り取ろうとすると上皮がはがれ、舌自体を傷つけ、痛みが生じたり出血したりする。
1回で除去しようとはせず、歯ブラシの最後に、軽く舌の表面を数回ブラッシング。これを数日間続けると変化が表れてくる。
舌専用のブラシを用いてもよい。
同時に、舌苔が発生する要因（磨き残し、胃腸状態、免疫状態など）を検討する。全身状態が反映されていることが多く、舌とともに全身の観察が必要である。

舌ブラシ

CHAPTER 6 食事の介助

健康を損ねた人にとって、食事は療養生活を続けていくための源であり、
治療の一部でもある。
嚥下や咀嚼、上肢の機能、消化・吸収機能、治療上の何らかの
理由・制限が生じた状況において、看護師が行う援助が、
患者の食べることへのニーズを満たす。
その援助は生理的な意味のみならず、その人の病との向き合い方や、
食べることを通じた人との関係性など、心理的・社会的な意味にまで
影響を及ぼすことを理解し、かかわることが重要である。

目 的 1人では食事をできない人が、持てる力を発揮しながら、安全で、食事時間を楽しむことができるよう介助する。

■食事をするための体の働き

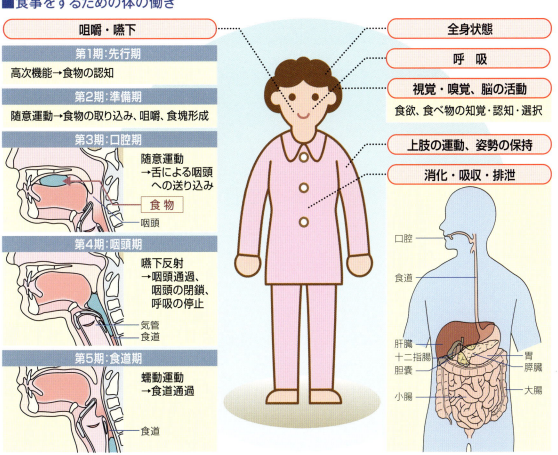

咀嚼・嚥下

第1期：先行期
高次機能→食物の認知

第2期：準備期
随意運動→食物の取り込み、咀嚼、食塊形成

第3期：口腔期
随意運動→舌による咽頭への送り込み
食物／咽頭

第4期：咽頭期
嚥下反射→咽頭通過、咽頭の閉鎖、呼吸の停止
気管／食道

第5期：食道期
蠕動運動→食道通過
食道

全身状態

呼 吸

視覚・嗅覚、脳の活動
食欲、食べ物の知覚・認知・選択

上肢の運動、姿勢の保持

消化・吸収・排泄
口腔／食道／肝臓／十二指腸／胆嚢／胃／膵臓／小腸／大腸

CHAPTER 6

■病院の食事

一般食	食事療法が必要のない人のための食事	個々人の咀嚼・嚥下機能、状態に合わせ、常食・軟食・きざみ食・流動食など、主食・副食の形態・硬さが調整される。
特別食	食事療法を必要とする人のための食事	腎臓病食、高血圧食、高脂血症食など、たんぱく質や塩分、脂質をコントロールした内容となっている。

■セルフケアを促す食事援助

患者ができるだけ、自分の力を使って食事ができるようにするため、食べることに向かう準備をする、食事環境を整える、調理形態の工夫、補助具を活用するなどの援助を行う。

食べることに向かう準備	●呼吸状態を整える：痰を喀出し、気道を浄化する。 ●口腔ケア：口腔内をきれいにし、唾液分泌を促す。 ●覚醒を促す：眠気など覚醒状態が悪いと誤嚥することがある。 ●排泄を済ませる：尿意や便意があるとリラックスして食事ができない。 ●苦痛や時間的切迫がない：疼痛や緊張があると食事を楽しむことができない。
食事環境を整える	●食事を楽しめるような場作り：臭気・騒音・照明、配膳の位置に配慮する。
調理の工夫	●温度・硬さ・粘り・とろみ、食材の大きさ、彩り、味付け、食べやすい配置を工夫する。
補助具の活用	●皿・箸・スプーン：持ちやすさ、握りやすさ、すくいやすさ、滑りにくさに配慮した補助具を活用する。

握りやすい
柄が太いスプーン・フォーク、食べやすい角度に曲げられるフォーク、ピンセットのように使える箸など。

すくいやすい
片方のふちが立ち上がり、すくいやすい皿。底にゴムがついている。

飲みやすい
吸い口と持ち手のついたコップ。

滑りにくい
底にゴムのついた皿は、お盆を傾けても滑りにくい。

PROCESS 1 必要物品の準備、食事に向かう準備

患者に食べることに向かう準備を促す。看護師は手洗いを行い、食事環境を整え、必要物品を準備する。

POINT
- 部屋に臭気はないか？汚物は片付いているか？
- テーブルの上はきれいか？
- 患者は排泄を済ませているか？苦痛はないか？ 手洗いは？
- 看護師のユニフォームは清潔か？手洗いは？

❶ 食器：箸・スプーン・フォーク・吸い飲み、ストローなど
❷ タオル　❸ 患者用エプロン（必要時）　❹ 手袋（必要時）　❺ おしぼり

食事の介助

PROCESS 2 姿勢・体位を整え、食卓を準備

ベッド上で上体を起こせる場合

患者より低い

介助者は患者より低い位置に座り、患者が自然に頸部前屈位となるよう留意する。

POINT
頸部前屈位を維持

- 患者が頸部前屈位になるよう枕などで支え、誤嚥を防止する。
- 嚥下運動が自由に行えるよう、肩の力を抜き、両手腕の動きを妨げない。同時に体幹が傾かないよう、背部を枕などで支える。

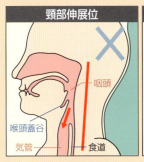

頸部伸展位

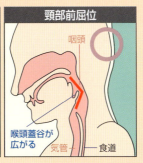

頸部前屈位

車椅子の場合

車椅子座位で食事をとる場合は、体幹が傾かないよう安定させ、テーブルの高さを調整して肘を固定し、足底を床につける。足底がつかない場合は、足台を用いて調整する。

テーブルの高さを調整

肘を固定

足底を床につける

上体を起こせない場合

頸部前屈を維持

上体を起こせない患者は、30度仰臥位とし、頸部を前屈させて誤嚥を防止する。体位変換用枕、タオル、クッションを用いて頸部前屈を維持し、殿部がベッド下方にずり落ちないよう足底にクッションを当てる。膝を軽く屈曲させ、安楽で安定した体位を整える。

注意! 30度仰臥位は食事内容がみえにくく、食器が使いにくいため、食事介助をすることが望ましい。

CHAPTER 6

PROCESS 3 食事の介助

ベッド上座位の場合

❶ スプーンは患者の口にあごが上がらないように差し入れる。1回に口に入れる分量は、多すぎないよう注意する。

POINT
1回の分量
- 1回に口に入れる分量は3g程度の小さじから開始し、まず嚥下の状態を確認するとよい。

> あごが上がらないように入れる

❷ スプーンを患者の口に入れ、患者が口唇を閉じたら、あごを上げない程度に自然にスプーンを引き抜く。

POINT
口唇を閉じてから
- 患者がしっかりと口唇を閉じたことを確認して、スプーンを引き抜く。

> あごが上がらないように引き抜く

❸ 会話は患者の口腔内に食物がないときに限る。
咀嚼・嚥下中に話しかけると、誤嚥を誘発することがある。

> 会話は、食物が口腔内にないときに

POINT
患者を見下ろす介助は禁忌！
- 患者より高い位置からの食事介助は禁忌。患者が見上げることになり、頸部が伸展して誤嚥につながる。
- 上からスプーンを口腔に挿入すると、食物を前歯・上口唇でこすりとることになり、患者の頭部が上を向いてしまうため、誤嚥しやすい。

> 患者の頸部が伸展して、誤嚥しやすい

食事の介助

PROCESS 4 食後の観察・記録

患者の食べ方、摂取量、食事に要した時間、嚥下、むせこみ、咳の有無、食後の状態の変化などを観察・記録し、アセスメントを行う。

PROCESS 5 後片付け・口腔ケア

食べこぼしなど、寝衣についた汚れを取り除く。テーブルを拭き、歯磨きや義歯の洗浄を促す。お膳を下げる。

食事の介助 Q&A

Q 配膳時の注意点は？

A 配膳前に、お膳に書かれている患者氏名・部屋番号・食事内容を確認する。治療や検査などによって食事が中止や遅延になっていたり、食事内容を変更している場合がある。機械的に氏名のみ確認して配膳するのではなく、患者一人ひとりの状態を考えながら行うことが大切である。

Q 飲み込みにくい食品は？

A 食べ物は、咀嚼されることによって、唾液と混じり合いながら飲み込みやすい食塊となる。そのため、口の中でまとまりやすい食材を選び、調理法、食材の切り方などの工夫を行う。一般的に、飲み込みにくい食品を右の表に示す。

Q 吸い飲みの使い方は？

A 吸い飲みは、臥床したままで液体を飲むことができる、吸い口が付いた蓋付きの容器。蓋の空気穴を塞ぐことで流量を調整し、一気に口に入らないようにする。

 空気穴　 空気穴を塞いで流量を調整

飲み込みにくい食品	
●水分が少なくパサパサしたもの	パン、粉ふき芋 など
●口の中でバラバラになりやすいもの	とうもろこし など
●粘り気の強いもの	餅 など
●口腔内に貼りつきやすいもの	キャラメル など
●硬いもの	たこ、いか など

Q 麻痺のある患者に介助する場合は？

A 麻痺側は身体が傾きやすく、口角の動きも悪いため、咀嚼・嚥下機能も低下している。そこで、右の表のような配慮を行う。

姿勢・体位	●麻痺側にクッションなどを入れて、傾かないよう支える。 ●麻痺側に食物が貯留すると誤嚥する危険があるので注意する。
食形態	●食塊になりやすいトロミのあるものがよい。 ●刻んでバラバラした食材はまとまりが悪く、むせやすい。
介助方法	●1回に口に入れる量は少なめにする。 ●嚥下したことを確認してから、次の食べ物を口に入れる。

CHAPTER 6

あなたならどうする？

複合事例⑥

川田洋子さんは、70歳の女性。病気のため、自力で手足を動かすことができません。

嚥下・消化機能は問題ありませんが、以前、誤嚥性肺炎を起こしたことがあります。

川田さんは食事時間をとても楽しみにしており、おしゃべりも大好きです。

あなたなら、どのような食事援助を行いますか？

_____
_____
_____
_____

対応例

《安全に食事がとれる体位》
① まず、ベッドをギャッチアップするために、ベッド中央部、大転子部がベッドの屈曲部にくるように整える。
② ベッドは、まず足側から少し挙上する。次に、頭側をゆっくりと上げていく。気分不快がないか、身体が左右に傾いていないか確認しながら行う。
③ 座位姿勢を安定させるために、頭の後ろ、足底、腕にクッションやバスタオルを入れる。60度程度までベッドを上げ、頸部が前屈するように頭部に枕を入れて調整する。

● 食事を介助するときは、介助者は川田さんより低い位置に座り、川田さんの頸部が前屈位のまま維持できていることを確認する。

《声かけ、ペースなど》
● 川田さんは食事時間を楽しみにしているため、リラックスできるよう介助に専念する。
● 食べ物が口腔内に入っているときには、誤嚥の危険があるため、会話は控える。
● 川田さんに献立をみてもらい、食べる順番なども相談しながら進める。

《口腔ケア》
● 食事後は、同じ体位、姿勢のまま歯磨き、うがいを介助する。

《食後の体位》
● 食後は、食物の逆流を防止するため、川田さんと相談しながら1〜2時間はベッド頭部を起こした状態にする。

CHAPTER 7 排泄の援助

排泄は、だれもが他者の世話になることなく、
自分で行いたいと思うことの1つである。
しかし、心身機能の変化によって、1人では排泄行為ができない場合に、
その人の排尿・排便のセルフケアレベルに合わせて、人としての尊厳を
損なうことなく、安心して排尿・排便ができるように援助することが
大切である。

目的 その人が持てる力を発揮しながら、安全に心地よく排泄行動ができるよう援助する。

■排尿・排便の仕組み

	排尿	排便
排泄物の生成	●腎臓では、1日に約1500Lの血液が濾過され、1〜2Lの尿となる。	●消化・吸収された食物残渣が、大腸で水分を吸収され便となる。
排泄の仕組み	●膀胱に尿が200mL程度たまると、尿意が生じる。尿道の外括約筋によって意識的に尿意をコントロールできる。 ●大脳に排尿指示が届くと、内・外括約筋が緩み、さらに腹圧がかかることで排出される。 ●括約筋・骨盤底筋の収縮は陰部神経がかかわっている。 ●膀胱・直腸の収縮には、骨盤神経がかかわっている。	●直腸に便がたまると、便意が生じる。通常、内肛門括約筋が締まり、外肛門括約筋も意識的に締めることができるため、便が漏れないようになっている。 ●排便指示が大脳に届くと、括約筋が緩み、腹圧がかかり排出される。

■尿・便の性状

	尿	便			
1日の排泄量	●1000〜1500mL程度	●80〜200g			
色・状態	●黄色	●黄褐色・適度な柔らかさ 【形状の表現】 硬便 / 軟便 / 泥状便 / 水様便 兎糞状・コロコロ状〜水分が少なく硬い / 水分が多めで柔らかい / 形のない泥状 / 形がない水汁状			
比重	●1.001〜1.035				
異常な性状	●赤色：腎・膀胱・尿道からの出血、痔核、月経血の混入 ●混濁：尿路感染	●鮮赤色：下部消化管からの出血、痔核 ●暗赤黒色：上部消化管からの出血			

■排泄に影響する要因

生物学的な要因	社会文化的な要因	環境的な要因	心理的な要因	政治・経済的な要因
●排尿：循環器系や泌尿器系など尿の生成にかかわる臓器の疾患 ●排便：腸の疾患、腸・肛門周囲の手術の影響、神経疾患 ●年齢：排泄に関する生理機能の成熟度・衰え	●排泄環境（トイレの形状など） ●排泄に関するその地域の考え方 ●宗教上のタブーなど	●トイレの位置やトイレ周囲の様子 ●プライバシー確保の程度 ●身体状況に合わないトイレ（車椅子が入らない）など	●排泄に対する個人的な考え方 ●ストレス	●排泄に関連する費用（パッドやおむつに関するコストなど） ●失禁などに対する社会的な支援、医療サービスの有無

CHAPTER 7

■失禁に対するアプローチ

STEP 1 気がねなく話せる環境を整えよう
まず、患者が失禁に対してどう感じているのか、どのような点で困っているのかを伺う。非常にプライベートなことであり、羞恥心を伴うため、患者ができるだけリラックスして話せる環境を整える。

STEP 2 失禁のタイプをアセスメント
失禁のタイプにより援助の視点が異なる。どのような原因で起こっている失禁であるのかをアセスメントする。

STEP 3 患者とともに、具体的な援助方法を考えよう
下に示すように、失禁のタイプに応じた援助方法があるが、それだけではその人に合った援助にはならない。その人の日常生活行動の中で実践できるよう、具体的な援助方法を患者とともに考える。

尿失禁の分類・原因と対処法

	分類	原因	治療・対処法
腹圧性尿失禁	●咳・くしゃみ、軽い運動など急激な腹圧上昇に伴う失禁	●加齢・出産・閉経、骨盤底筋群の脆弱化、肥満、便秘、前立腺疾患の手術後　など	●骨盤底筋体操 ●薬物療法 ●生活上の工夫　など
切迫性尿失禁	●急激な尿意（尿意切迫）に伴う失禁	●加齢、前立腺肥大症、尿路感染症、中枢神経疾患（脳血管疾患・パーキンソン病など）　など	●薬物療法 ●行動療法（膀胱訓練など）　など
混合性尿失禁	●腹圧性尿失禁と切迫性尿失禁の症状が混在	●腹圧性尿失禁・切迫性尿失禁に準じる	
溢流性尿失禁	●大量の残尿があふれて、少しずつ漏れている状態（尿が出にくいが失禁もある）	●前立腺肥大症、脳血管障害、骨盤内手術　など	●間欠導尿 ●手術療法 ●薬物療法　など
機能性尿失禁	●排尿機能に関係なく、認知・身体・視力などの障害により失禁してしまう状態	●認知症、脳血管障害・脊髄損傷などによる四肢麻痺、視力障害　など	●時間排尿誘導 ●排泄補助用具の活用 ●介護力の強化　など

便失禁の分類・原因と対処法

	分類	原因	治療・対処法
漏出性便失禁	●便意を感じないまま自然に便が漏れる	●内肛門括約筋の低下 ⇒高齢者や直腸脱の患者に多い	●便性のコントロール（食事療法・下剤調整） ●摘便・浣腸 ●生活上の工夫（排便日誌・排便周期の確立）
切迫性便失禁	●便意をもよおしてからトイレまで我慢できずに失禁してしまう	●下痢、直腸がん、潰瘍性大腸炎、分娩、肛門の手術後などの外肛門括約筋損傷	●便性のコントロール（食事・整腸剤・止痢剤など） ●手術（括約筋形成術・人工肛門など）
漏出・切迫性便失禁	●両方の症状が混在	●漏出性便失禁・切迫性便失禁に準じる	

排泄の援助

ポータブルトイレを用いた援助

ポータブルトイレは、トイレまでの移動に制限があるが座位を保てる場合などに用いられる、ベッドサイドまで持ち運び可能なトイレ（コモード）である。座面の高さ、肘かけ・手すりの有無、材質、デザインなどはさまざまであり、その人の状態に合わせ、安定性がよく扱いやすいもの、療養環境に適したデザインなどを選ぶ。

■ポータブルトイレの種類

標準型（プラスチック製）
軽くて、持ち運びが簡単。足を引くスペースがないため、立ち上がりにくい。

組み立て式
フレームを小さくたたんで収納できる。足を引くスペースがあり、立ち上がりやすい。

木製椅子型
生活空間になじむデザイン。足を引くスペースがあり、立ち上がりやすい。

PROCESS 1 必要物品の準備、環境整備

❶ ポータブルトイレ　❷ 手袋
❸ トイレットペーパー
❹ 38〜40℃の湯が入った陰部洗浄用ボトル（必要時）
❺ 陰部洗浄用品：タオル、ガーゼ、石けん、ビニール袋（必要時）

ポータブルトイレは内側にバケツがセットされているか、背もたれや便座に破損はないかを点検する。

他者の目から守る
カーテンを引いて他者の目をシャットアウト。プライバシーを保てる空間を確保する。

臭いへの配慮
窓を開けるなど、臭いに配慮する。

ポータブルトイレの配置
麻痺などがあると体が傾きやすいことを考慮し、手すりがつかみやすい位置にポータブルトイレを配置する。

音への配慮
周囲の人に、音が聞こえにくいよう配慮する。

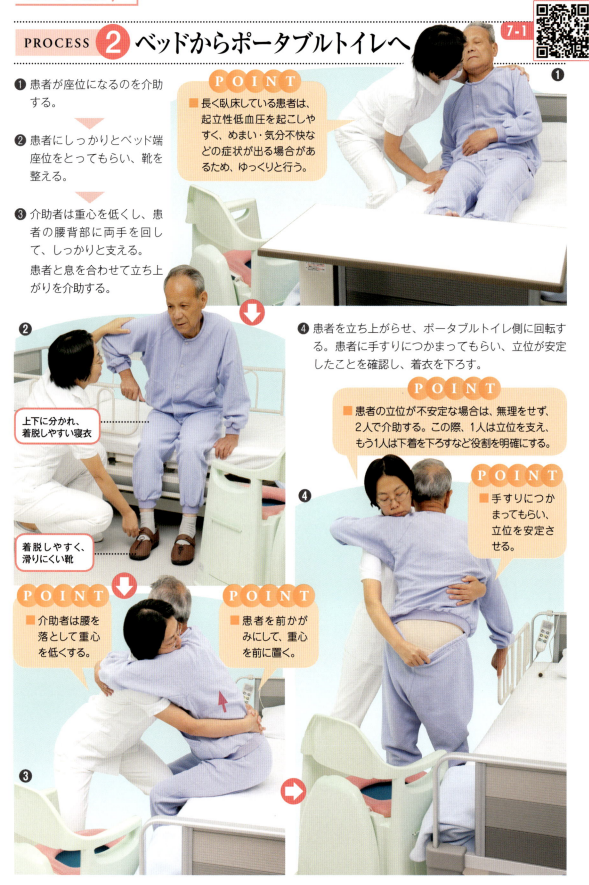

排泄の援助

PROCESS 3 ポータブルトイレでの排泄

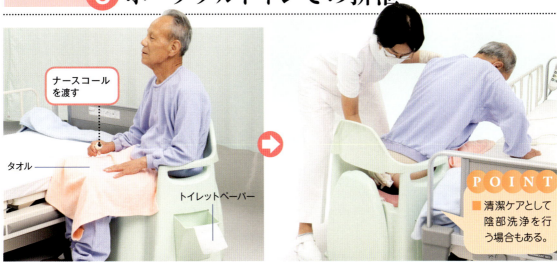

❶ 患者がポータブルトイレで安定した座位がとれるよう整える。タオルを膝にかけて不要な露出を防ぐ。トイレの高さ、背もたれの強度、トイレットペーパーの位置に配慮する。ナースコールを渡し、看護師はその場を離れる。

❷ 排泄終了後、陰部・肛門部を洗い流し、押さえ拭きをする。

POINT
- 清潔ケアとして陰部洗浄を行う場合もある。

PROCESS 4 ポータブルトイレからベッドへ

❶ 患者の腰背部に両手を回し、重心を低くして、立ち上がりを介助する。

❷ 立位が安定したら、着衣を引き上げる。ベッド側に回転し、ベッド端座位をとり、靴を脱ぎ、ベッドに戻る。

POINT
- 排泄、特に排便後は血圧の変動、体力消耗の可能性がある。
- 立ち上がりが困難になる可能性も踏まえて介助する。

POINT
- 立位が安定してから、着衣を引き上げる。

PROCESS 5 観察、後片付け

❶ 排泄物の性状・量を確認し、異常がないかをアセスメントする。患者の全身状態の変化がないかを確認する。

❷ ポータブルトイレ内の排泄物を処理し、洗浄・消毒する。手洗いを行う。ベッドサイドを離れる前に、ベッドやナースコールの位置を元に戻し、換気をして臭気が残らないようにする。

CHAPTER 7

車椅子を用いた援助

医療施設には、車椅子を使用できる広めのトイレが設置されていることが多い。立位・座位の保持が可能で、全身状態の安定している人には、できるだけトイレまで車椅子で移動し、排泄を援助する。
援助の前には、あらかじめトイレの広さ、手すりやトイレットペーパー、ナースコールの位置を確認しておく。

トイレの設備（例）

PROCESS 1 車椅子でのトイレ介助

❶ 車椅子のフットレストを上げ、患者に立位になってもらう。

❷ 患者が手すりを保持し、しっかり立位になったことを確認し、下着を下ろす。

❸ 患者に手すりを保持し、便座方向に回転し、腰を下ろしてもらう。看護師は患者の腰部を支え、介助する。

❹ 座位保持が確実にできる場合は、必要ならトイレットペーパーを切って渡すなどし、看護師は外で待つ。
座位保持が不安定な場合は、患者の了承を得て、できるかぎり傍らで支える。

❺ 患者が自分で陰部を拭けない場合は、看護師が手袋を装着して拭く。

❻ 患者に立位になってもらい、下着を上げ、車椅子に戻る。患者に手洗いをしてもらう。

PROCESS 2 観察

排泄物の性状・量を確認する必要がある場合には、患者に流さないよう、あらかじめ説明しておく。患者の全身状態に変化がないか、確認する。看護師も手洗いをして病室に戻る。

― 排泄の援助

ベッド上での排泄援助

尿意や便意はあるが、座位保持が困難であったり、ベッド上での安静が必要であり、ポータブルトイレへの移乗やトイレへの移動に制限がある場合は、ベッド上で便器や尿器を用いた援助を行う。尿器・便器の種類と特徴を踏まえ、患者の体格や材質、使いやすさなどを考慮して道具を選択する。

■尿器・便器の種類

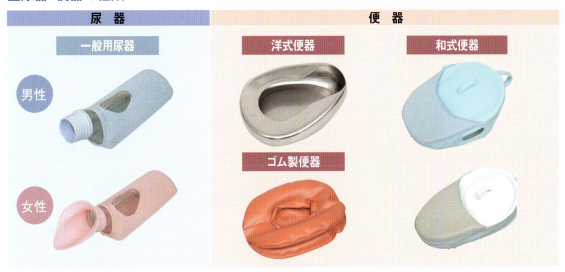

PROCESS 1 必要物品の準備、環境整備

患者に説明をし、臭い・音へのさりげない配慮を行い、カーテンを閉めてプライバシーを確保する。

❶ ベッド上で使用する便器／尿器（冷たくないよう配慮）・蓋
❷ 便器／尿器カバー　❸ 処置用シーツ・防水（ラバー）シーツ
❹ 手袋・プラスチックエプロン・マスク
❺ トイレットペーパー
❻ 38～40℃の湯を入れた陰部洗浄用ボトル（必要時）

便器の中にトイレットペーパーを敷いておくと、便がつきにくく、洗いやすい

CHAPTER 7

便器を用いる場合

PROCESS 2 便器を用いた排泄介助

7-3

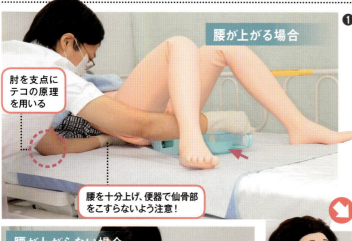

腰が上がる場合

肘を支点にテコの原理を用いる

腰を十分上げ、便器で仙骨部をこすらないよう注意！

❶ 着衣を下ろす。腰が上がる場合は、仰臥位で両膝を立て、肛門部が便器の受け口中央にくるように挿入する。
腰が上がらない場合は、側臥位で便器を当て、仰臥位に戻す。

可能なら、ベッド頭部を挙上してセミファウラー位をとり、両膝を立てる。女性の場合は恥骨部から尿道口にかけてトイレットペーパーで覆い、尿の飛散を防止する。男性の場合は、陰茎を尿器に入れる。

腰が上がらない場合

POINT
- 着衣を下ろす際、便器を挿入する際に、皮膚をこすらないよう注意する。
- 側臥位で便器を当てる場合は、必要時2人で介助する。
- 便器の差し込み部分が殿部・仙骨の位置に当たり、便器の受け口中央が肛門部にくるように当てると安定する。

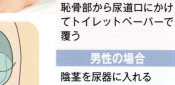

女性の場合
恥骨部から尿道口にかけてトイレットペーパーで覆う

男性の場合
陰茎を尿器に入れる

ナースコール

❷ 下半身を綿毛布で覆う。患者と相談し、ナースコールの位置、ベッド柵、カーテンを確認し、看護師はその場を離れる。排便が済んだら肛門周囲・陰部を湯で洗い、水分を拭き取る。

排泄の援助

尿器を用いる場合

PROCESS 3 尿器を用いた排泄介助

女性の場合
- 尿器の口を会陰部に密着させる

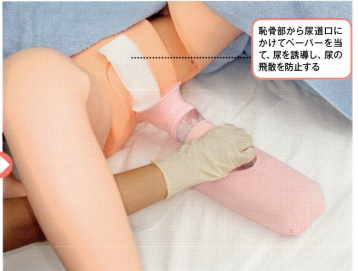

- 恥骨部から尿道口にかけてペーパーを当て、尿を誘導し、尿の飛散を防止する

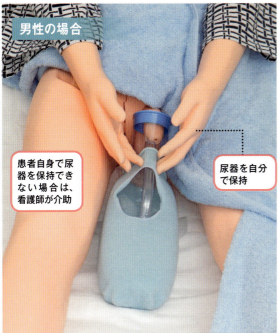

男性の場合
- 患者自身で尿器を保持できない場合は、看護師が介助
- 尿器を自分で保持

女性：セミファウラー位で両膝を立て、尿器の口を会陰部に密着させる。恥骨部から尿道口にかけてトイレットペーパーを当て、尿の飛散を防ぎ、尿器内に誘導する。

男性：セミファウラー位で両足を広げ、陰茎を尿器に入れ、患者自身に保持してもらう。

↓

排尿が済んだら肛門周囲・陰部を湯で洗い、水分を拭き取る。

↓

患者自身の手洗いも忘れずに行ってもらう。

POINT
- カーテンを引き、臭い・音に配慮、プライバシーを守る。
- 足などはタオルで覆い、露出を最小限にする。
- 男性の場合も患者自身で尿器を保持できない場合は、看護師が介助する。
- 患者自身も陰部や尿器に触れているため、排尿後には手浴を促す。

尿器・便器の使用後

PROCESS 4 観察、後片付け

❶ 排泄物の性状・量を確認する。患者の全身状態の変化がないかを確認する。

❷ 排泄物を片付け、手を洗う。尿器・便器には蓋をして、専用のカバーをかけて運ぶ。臭気がこもらないよう換気をする。
患者には、ベッド上で手浴を促す。患者自身も陰部や便器に触れている。臥床中は自由に手を洗うことが制限されるため、忘れずに行う。

CHAPTER 7

おむつを用いた援助

尿意・便意を表出することができない状態、排尿・排便のコントロールがうまくいかず失禁になっている場合などに、おむつを用いた援助を行う。

おむつを当てるということは、その人の自尊心を大きく揺るがすことである。安易におむつを使用せず、本当におむつが必要なのか、おむつを外すことはできないかを常にアセスメントする。おむつには、いくつかの種類があり、セルフケアレベルに合わせて選択する。

■おむつの種類と特徴

パンツタイプ	テープタイプ	フラットタイプ	パッド
パンツと同様に着用する。自分でトイレに行ける人に適している。	吸収量が多いため、失禁量が多い場合、頻回に交換できない場合に使用する。蒸れによる皮膚トラブルのリスクがある。	シートやパッドとして使用するなど、多様な用途に使用できる。	失禁量によって選択し、パンツやおむつ内に入れて使用する。また、ギャザーのあるもの、ひょうたん型、男性用など、多種多様なパッドがある。

■患者の状況をアセスメント

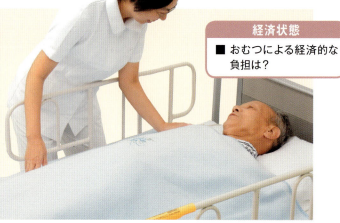

排泄状況
- 患者のケアの目標は？
- どうして、おむつをしているの？
- いつもの便・尿の性状・量は？

ADL
- 自分では、どのくらい動ける？

皮膚の状態
- 何らかの皮膚トラブルを生じている？

経済状態
- おむつによる経済的な負担は？

PROCESS 1 必要物品の準備

① おむつ
② 手袋・プラスチックエプロン・マスク
③ ビニール袋
④ トイレットペーパー
⑤ 処置用シーツ・防水（ラバー）シーツ
⑥ 38～40℃の湯が入った陰部洗浄用ボトル（必要時）
⑦ 陰部洗浄用品：
　タオル、ガーゼ、石けん（必要時）

排泄の援助

PROCESS 2 おむつ交換

臨床現場では2人で行うことが多いため、動画では「2人で行うおむつ交換」を収録。

7-4

❶ 患者に説明をし、カーテンを閉めてプライバシーを確保する。臭いやおむつをしていることへの配慮はさりげなく行う。

POINT
おむつは枕元に置かない
- おむつ類は下着と同様に扱う。
- 新しいおむつでも、枕元などに置くと患者に不快な思いをさせるので注意する。

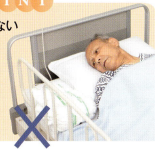

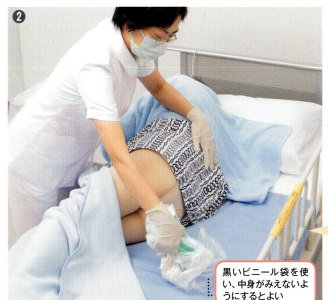

黒いビニール袋を使い、中身がみえないようにするとよい

❷ おむつを開き、陰部・肛門部を洗浄し、水分を拭き取る。

患者を側臥位にするか、もしくは患者の協力を得て腰を上げてもらい、おむつを外す。

仰臥位のまま腰を上げずにおむつを引っ張って外すと、摩擦で皮膚を傷つける可能性があるので注意する。

POINT
- 使用済みのおむつは汚れを内側にして丸め、床に置かず、ビニール袋に入れる。
- 皮膚トラブルがないか、十分に観察する。

❸ 新しいおむつの左右中央が身体中央にくるよう、陰部におむつの吸水ポイントがくるよう当てる。

POINT
- 仰臥位に戻す際、おむつの中央がずれないよう注意。

CHAPTER 7

❹ 指を入れてギャザーを外側に立てながらおむつを当て、おむつと鼠径部をフィットさせる。

POINT
- ギャザーが内側に入り込むと、漏れの原因になったり、皮膚を圧迫し、皮膚トラブルの原因となる。

❺ 体位・寝衣を整える。

POINT
- おむつの装着は、褥瘡の誘因となる。体位、寝衣のしわ、陰部の清潔保持に留意する。

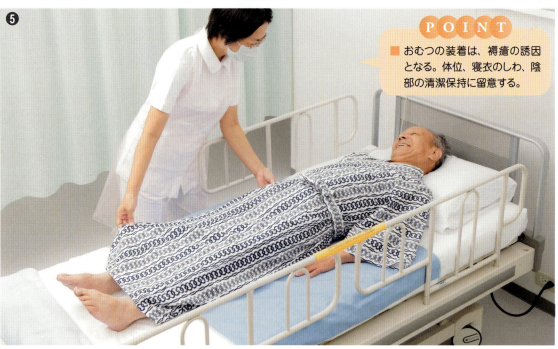

PROCESS 3 観察、後片付け

❶ 排泄物の性状・量を確認する。
　肛門周囲の赤みや湿疹の有無、瘙痒感・疼痛などの自覚症状を確認し、仙骨部や陰部に皮膚トラブルがないか確認する。
　何らかの皮膚トラブルがみつかった場合は、清潔を保持し、物理的な圧迫を避ける。皮膚・排泄ケア認定看護師など、専門家の助言を得ながら、対処方法を検討する。

❷ 汚れたおむつはビニール袋に入れ、廃棄する。手洗いを行う。
　患者には、ベッド上で手浴を促す。患者自身も陰部などに触れていることも多く、動けない人の場合には自由に手を洗うことが制限されるため、忘れずに行う。

汚れたおむつ

排泄の援助

排泄の援助 Q&A

Q すっきりと排泄できる姿勢は？

A 仰臥位と座位それぞれの姿勢で努責を行った研究によると(文献1)、仰臥位に比べ座位のほうが、胸腔内圧が直腸内に伝わりやすく、排便しやすいことが明らかになった。
ベッド上でも安静度に応じ、効果的な直腸内圧を得るには、できるだけ座位に近い体位をとることが望ましい。

Q 排尿・排便時の循環動態の変動は？

A 排便時の努責圧が循環系に及ぼす影響に関する研究によると(文献2)、排便時に強く努責をかけるほど、心拍数・血圧の変化が大きく、循環系に与える影響は大きい。また、努責圧が同じ場合、仰臥位より座位のほうが循環系に及ぼす影響が大きい。
全身状態が安定していない患者の場合、座位による排便は状態の変化を起こすリスクが高いことを考慮して援助方法を検討する。

POINT
座位での排便
- 仰臥位より効果的に努責しやすく、排便しやすい。
- 仰臥位より、努責による循環系への影響が大きい。

ヒヤリ・ハット 事例から学ぼう！

事例1 トイレへ移動しようとして、ベッドサイドで転倒！
→尿意や便意があると、ついあわててしまい、転倒しやすくなるので注意。

事例2 排泄後に、トイレから転倒！
→排泄後は循環動態が変化しやすい。座位が保てなくなり転倒する場合があるので注意。

事例3 トイレへの移動時に、チューブが抜けた！
→点滴静脈注射や酸素療法中の患者がトイレへ移動する場合、チューブが抜けたり、閉塞する場合があるので注意。

CHAPTER 7

❓ あなたならどうする？　複合事例⑦

あなたは、脳梗塞を発症して慢性期に入り、血圧が高め（収縮期130mmHg・拡張期80mmHg）の中川さん（50歳）を受け持っています。

中川さんは、今朝からトイレ歩行が許可されました。

午前10時。
中川さんからナースコールがありました。
中川さんは、あわてた様子で、訴えます。
「トイレまで歩こうと思ったら、ちょっと頭がふわっとして、引き返してきたんだよ。トイレ（おしっこ）したいんだけど、どうしたらいいんだろう？！」

さあ、あなたなら、どうしますか？

....
....
....
....

対応例

- 中川さんには、まだ安静が必要だと判断し、ベッドサイドのポータブルトイレ、あるいは尿器で排泄することを促す。
- 少し待てるようなら、念のため、血圧を測定する。
- 血圧が平常時より高い場合には、ベッド上で臥位のまま尿器を当てる。血圧に変動がない場合には、ベッド端座位をとり、尿器を当ててもらう。
- 中川さんは意識がしっかりしている。排尿中はカーテンの外で待ち、排尿が終了したらナースコールで呼んでもらう。

CHAPTER 8 導尿

導尿は尿閉状態の改善、残尿量の測定、無菌尿の採取などを目的とし、膀胱内にカテーテルを挿入することによって、尿を体外に排出させる。本章では、女性の場合を取り上げて解説する。
男性の場合は、次章「経尿道的膀胱留置カテーテル」と同様に行う。

目的 膀胱内にカテーテルを挿入し、一時的に尿を体外に排出する。

適応
1. 膀胱内に尿が充満しているにもかかわらず、自然排尿ができない尿閉状態にある場合。
2. 自然排尿後の残尿量を測定する場合。
3. 検査目的で無菌尿を採取する場合。
4. 下腹部の手術、膀胱などの診察・治療の前処置。
5. 陰部に術創などがあり、陰部を清潔に保ちたい場合。
6. 産婦の軟産道の拡張を容易にし、娩出を援助する場合。

■尿道口～膀胱の解剖（女性）

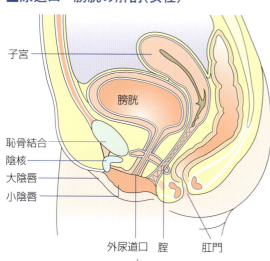

子宮／膀胱／恥骨結合／陰核／大陰唇／小陰唇／外尿道口／腟／肛門

■事前のアセスメント

- 原疾患の有無
- 全身状態の観察
- 排泄状態の観察
  →前回の量・時間
  →水分の摂取状況
  →発汗状態
  →尿意・残尿感の有無
- 腹部の緊張度
- 体位保持の検討
- 精神状態
- 周囲の環境

POINT
- さまざまな働きかけにもかかわらず、前回排尿より8～12時間を経過した場合、医師と相談のうえ導尿を実施。
- 体動が激しい場合、下肢拘縮がある場合などは、介助者の必要性を検討。
- 多床室、食事時などの環境に配慮する。

CHAPTER 8

PROCESS 1 必要物品の準備

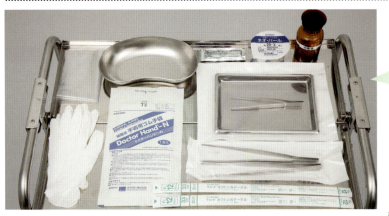

EVIDENCE
- キシロカインゼリー®は尿道内に傷がある場合、アナフィラキシー・ショックを起こすことがあるので、水溶性潤滑剤を使用することが望ましい。

❶ 導尿用カテーテル（ネラトンカテーテル）
❷ 滅菌水溶性潤滑剤
❸ 処置用シーツ
❹ 滅菌手袋・手袋
❺ 滅菌トレー・滅菌鑷子
❻ 消毒薬・綿球
❼ 尿器
❽ 膿盆
❾ 綿毛布、またはタオルケット
❿ ビニール袋

PROCESS 2 患者への説明と同意

❶ 手洗いを行う。患者に導尿を行うことを説明し、同意を得る。

POINT
- カーテンやスクリーンで、プライバシーを保つ。

❷ カーテンやスクリーンを用いて、プライバシーの保てる環境を整え、綿毛布またはタオルケットをかける。

POINT
- 掛け物は以下の手順で準備する。
  ① 綿毛布を上掛けの上からかける。
  ② 綿毛布の下から上掛けを引く。
  ③ 上掛けを足下に扇子折でたたむ。

導 尿

PROCESS 3 体位を整え、物品を配置

8-1

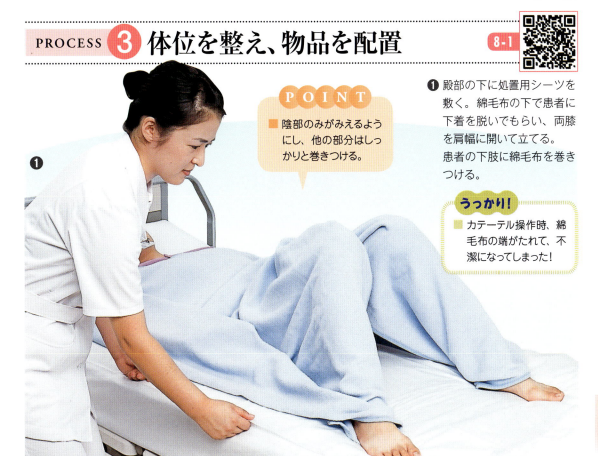

❶ 殿部の下に処置用シーツを敷く。綿毛布の下で患者に下着を脱いでもらい、両膝を肩幅に開いて立てる。患者の下肢に綿毛布を巻きつける。

POINT
- 陰部のみがみえるようにし、他の部分はしっかりと巻きつける。

うっかり！
- カテーテル操作時、綿毛布の端がたれて、不潔になってしまった！

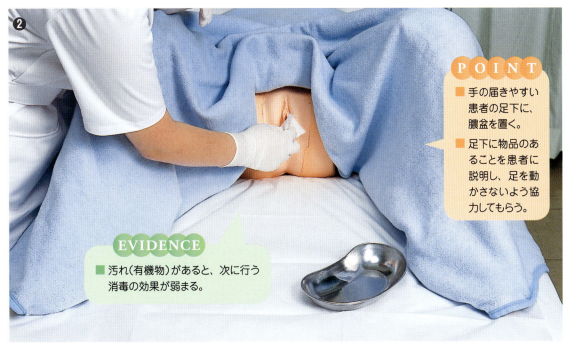

POINT
- 手の届きやすい患者の足下に、膿盆を置く。
- 足下に物品のあることを患者に説明し、足を動かさないよう協力してもらう。

EVIDENCE
- 汚れ（有機物）があると、次に行う消毒の効果が弱まる。

❷ 看護師が右利きなら患者の右に、左利きなら患者の左に立つ。
　汚れがひどい場合は、陰部洗浄を行う。

CHAPTER 8

❸❹ 滅菌トレーを開封し、陰部の手前に置く。

❺ 滅菌された鑷子でカテーテルを取り出し、滅菌トレーに置く。さらに鑷子で消毒薬に浸した綿球3〜4個を取り出し、トレーの上に置く。

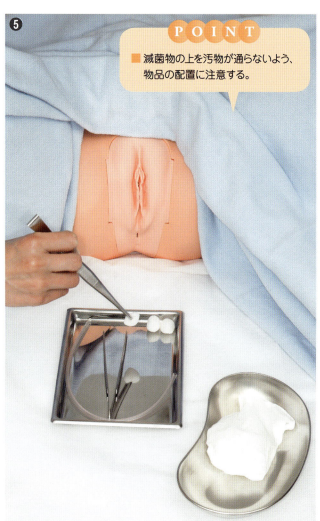

POINT
■ 滅菌物の上を汚物が通らないよう、物品の配置に注意する。

滅菌水溶性潤滑剤を少量垂らす

❻ トレー内のカテーテル先端に、滅菌された水溶性潤滑剤を少量、垂らす。

うっかり！
■ 潤滑剤を多量に垂らしたため、綿球・カテーテル全体に潤滑剤がついてしまった！

148

導 尿

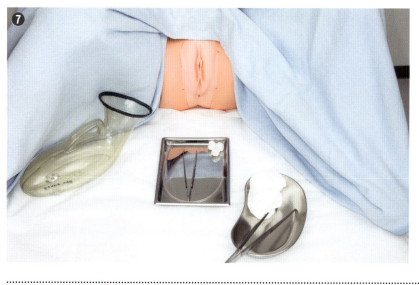

❼ カテーテルが届く位置に尿器を置く。
作業がしやすく、かつ滅菌物の上を汚物が通らないよう、物品の配置に注意する。

> **POINT**
> - 物品は、滅菌物の上を汚物が通らないように配置。

PROCESS ❹ カテーテル挿入と導尿

8-2

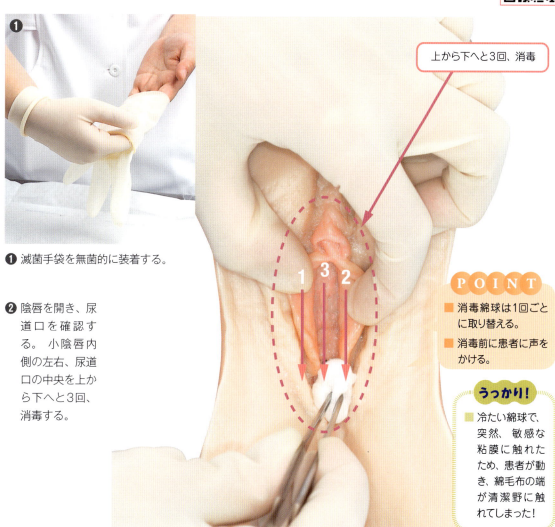

❶ 滅菌手袋を無菌的に装着する。

❷ 陰唇を開き、尿道口を確認する。小陰唇内側の左右、尿道口の中央を上から下へと3回、消毒する。

上から下へと3回、消毒

> **POINT**
> - 消毒綿球は1回ごとに取り替える。
> - 消毒前に患者に声をかける。

> **うっかり！**
> - 冷たい綿球で、突然、敏感な粘膜に触れたため、患者が動き、綿毛布の端が清潔野に触れてしまった！

CHAPTER 8

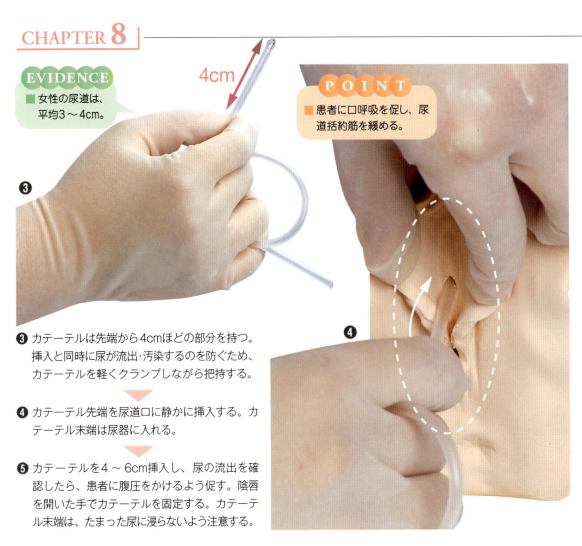

EVIDENCE
- 女性の尿道は、平均3〜4cm。

4cm

POINT
- 患者に口呼吸を促し、尿道括約筋を緩める。

❸ カテーテルは先端から4cmほどの部分を持つ。挿入と同時に尿が流出・汚染するのを防ぐため、カテーテルを軽くクランプしながら把持する。

❹ カテーテル先端を尿道口に静かに挿入する。カテーテル末端は尿器に入れる。

❺ カテーテルを4〜6cm挿入し、尿の流出を確認したら、患者に腹圧をかけるよう促す。陰唇を開いた手でカテーテルを固定する。カテーテル末端は、たまった尿に浸らないよう注意する。

POINT
- 尿が流出したら、患者に腹圧をかけてもらう。

導 尿

POINT

○

…… 尿より必ず上

■ カテーテル末端は、たまった尿に浸らない位置に保ち、尿を流出させる。

EVIDENCE

×

■ カテーテル末端がたまった尿に浸ると、逆行性感染の危険がある。

❻

POINT

■ 尿は尿器の壁に沿わせ、尿のたまる音がしないよう注意。

❻❼ 尿の流出が止まったら、カテーテルを静かに抜去し、陰部をトイレットペーパーなどで拭く。

❼

❽ 物品を片付け、患者の寝衣を整える。

POINT

導尿後は、患者の状態を観察

■ 残尿感はないか？
■ 腹部緊満感はないか？

❾ すべての処置が終わったらベッドサイドを離れ、尿量・性状を観察する。

CHAPTER 8 導尿

CHAPTER 8

導 尿

 カテーテルを挿入しても、尿が出てこないときの対処法は？

まずは、カテーテルが腟口に入っていないか、きちんと尿道口に入っているかどうかを確認する。誤って腟に挿入したカテーテルは抜去して廃棄し、新しいカテーテルを使用して再挿入する。

尿が出てこないからといって、無理にカテーテルを押し進めるのは禁物！ 女性の尿道は3〜4cmであるため、4〜6cmを目安に挿入を止め、患者に腹圧をかけてもらう。さらに、看護師が膀胱上縁、恥骨上部に手を当て、下方に向かって圧迫する。

尿道口の位置がわかりにくい場合は、最初に入れたカテーテルを抜かずに、もう1つの口にカテーテルを挿入し、排尿を確認する方法もある。

 **POINT**
- 挿入は4〜6cmまで。深く入れすぎるのは禁物！
- 尿閉の患者は収縮力が弱まっているため、看護師が恥骨上部を圧迫する。

 無菌的に尿を採取する方法は？

尿器ではなく、滅菌カップに尿をとり、さらに滅菌試験管に移す。

 **POINT**
- 無菌的に尿を採取する場合は、滅菌カップを用いる。

CHAPTER 9 経尿道的膀胱留置カテーテル

経尿道的膀胱留置カテーテルとは、カテーテルを尿道から膀胱に挿入して留置し、尿を体外にドレナージする方法である。
排尿困難の患者、術後の患者などに用いられる。
本章では、男性の場合を例にとって解説する。

＊事前のアセスメントは、CHAPTER8 導尿を参照。

目的　カテーテルを一定期間、膀胱内に留置し、尿を体外にドレナージする。

適応
1. 排尿困難のため、頻回な導尿が必要な場合。
2. 陰部の手術創や検査後の安静、感染防止が必要な場合。
3. 重症患者など、厳重な水分出納管理が必要な場合。

■ 尿道口〜膀胱の解剖（男性）

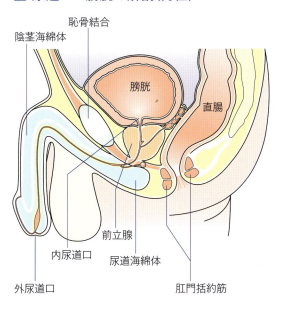

■ カテーテルの構造

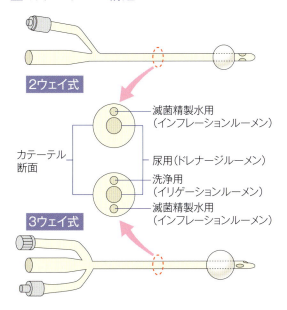

CHAPTER 9

PROCESS 1 必要物品の準備、患者への説明

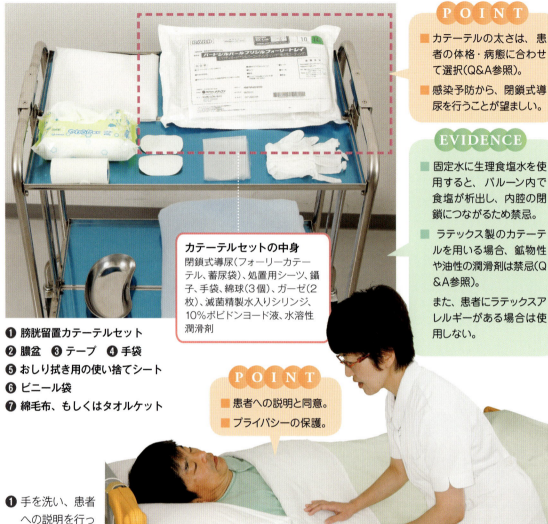

POINT
- カテーテルの太さは、患者の体格・病態に合わせて選択（Q&A参照）。
- 感染予防から、閉鎖式導尿を行うことが望ましい。

EVIDENCE
- 固定水に生理食塩水を使用すると、バルーン内で食塩が析出し、内腔の閉鎖につながるため禁忌。
- ラテックス製のカテーテルを用いる場合、鉱物性や油性の潤滑剤は禁忌（Q&A参照）。
- また、患者にラテックスアレルギーがある場合は使用しない。

カテーテルセットの中身
閉鎖式導尿（フォーリーカテーテル、蓄尿袋）、処置用シーツ、鑷子、手袋、綿球（3個）、ガーゼ（2枚）、滅菌精製水入りシリンジ、10％ポビドンヨード液、水溶性潤滑剤

❶ 膀胱留置カテーテルセット
❷ 膿盆　❸ テープ　❹ 手袋
❺ おしり拭き用の使い捨てシート
❻ ビニール袋
❼ 綿毛布、もしくはタオルケット

POINT
- 患者への説明と同意。
- プライバシーの保護。

❶ 手を洗い、患者への説明を行って同意を得る。

POINT
- 綿毛布をかけ、上掛けは扇子折にし足元へ。

❷ カーテンを引き、プライバシーが保護できるよう環境を整える。綿毛布をかけ、上掛けは足元に扇子折にする。綿毛布の中で、患者に下着を脱いでもらう。処置用シーツ（防水）を患者の殿部の下に広げる。

経尿道的膀胱留置カテーテル

PROCESS 2 体位を整える

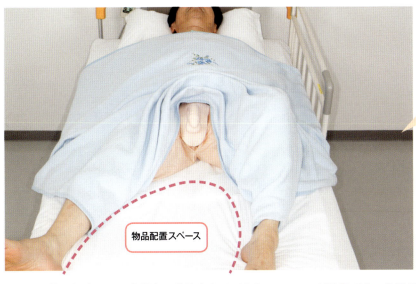

POINT
- 綿毛布を扇子折にして、陰部を露出する。
- 股関節を広げるように膝を倒すと、物品配置スペースが確保できる。

体位は男性の場合、両足を開き、片膝を立ててもらう。綿毛布で両足を覆い、操作時に落ちてこないよう巻きつける。片膝を立てると物品を配置するスペースが確保でき、作業がしやすい。
綿毛布を扇子折にして、陰部を露出する。

PROCESS 3 陰部清拭、膀胱留置カテーテルセットの開封

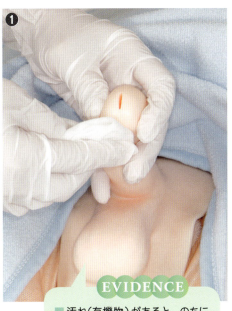

EVIDENCE
- 汚れ（有機物）があると、のちに行う消毒の効果が弱まる。

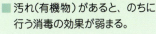

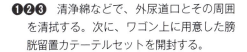

❶❷❸ 清浄綿などで、外尿道口とその周囲を清拭する。次に、ワゴン上に用意した膀胱留置カテーテルセットを開封する。

CHAPTER 9

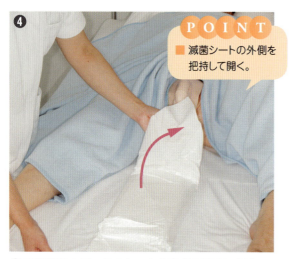

POINT
■ 滅菌シートの外側を把持して開く。

❹ 膀胱留置カテーテルセットを患者の足元に広げ、無菌的に開いていく。

❺ 膿盆を滅菌された膀胱留置カテーテルセットに触れない位置に置く。

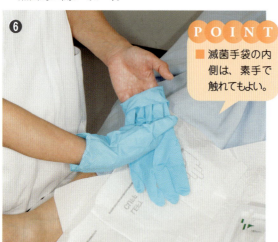

POINT
■ 滅菌手袋の内側は、素手で触れてもよい。

❻ 滅菌手袋を装着する。

❼ 滅菌ガーゼ(陰部を把持するために使用)を取り出しておく。

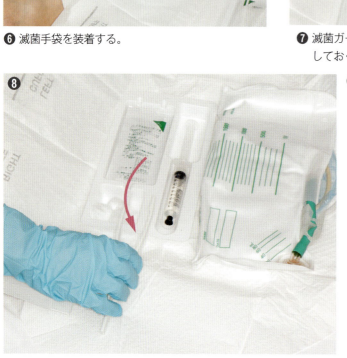

❽ 消毒薬の上にのっている鑷子を取り出し、使いやすいようにセットする。

経尿道的膀胱留置カテーテル

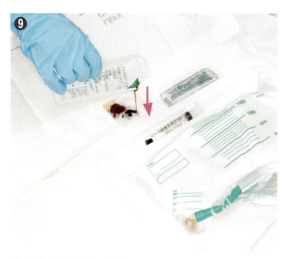

❾ 消毒薬を綿球にかける。

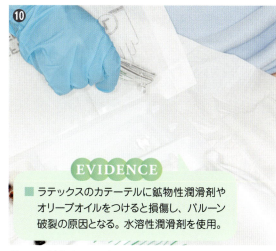

EVIDENCE
- ラテックスのカテーテルに鉱物性潤滑剤やオリーブオイルをつけると損傷し、バルーン破裂の原因となる。水溶性潤滑剤を使用。

❿ 潤滑剤を容器に垂らす。

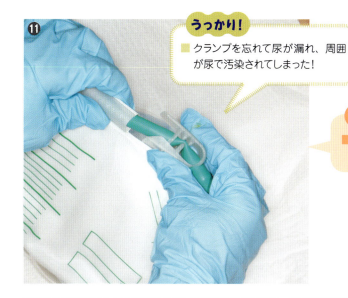

うっかり！
- クランプを忘れて尿が漏れ、周囲が尿で汚染されてしまった！

⓫ 蓄尿袋の底にある採尿口がクランプされていることを確認する。

POINT
- 採尿口のクランプを忘れずに！

うっかり！
- 穴があり、自然抜去してしまった！
- 均一に膨らまず、尿が漏れてしまった！

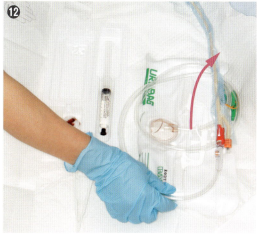

⓬ カテーテルを患者側に置き、蓄尿袋を広げる。

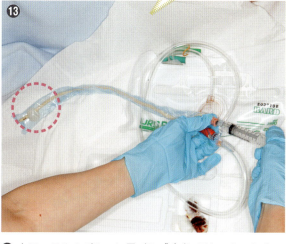

⓭ カテーテルのバルーン用バルブ（インフレーションルーメン）にシリンジを接続し、滅菌精製水を注入してバルーンが膨らむことを確認後、滅菌精製水を抜いておく。

CHAPTER 9

PROCESS 4 膀胱留置カテーテルの挿入

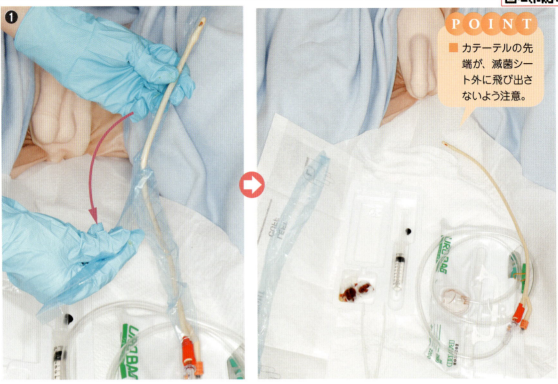

POINT
■ カテーテルの先端が、滅菌シート外に飛び出さないよう注意。

❶ カテーテルのスリーブのミシン目を裂き、カテーテルを取り出して、滅菌シートの上に置く。

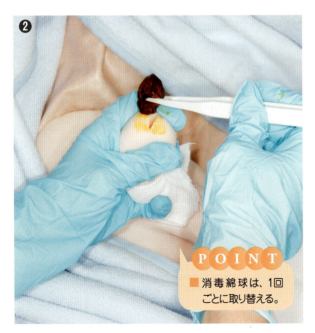

POINT
■ 消毒綿球は、1回ごとに取り替える。

❷ 滅菌ガーゼを用いて、中指と薬指で陰茎を把持する。母指と示指で包皮を下げて亀頭を露出して外尿道口を広げる。利き手で鑷子を持ち、尿道口をよく開き、まんべんなく消毒する。

❸ カテーテル先端に、容器にあけておいた潤滑剤をつける。

経尿道的膀胱留置カテーテル

❹

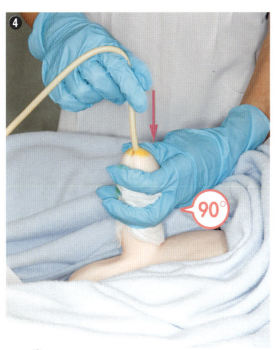

❺ **EVIDENCE**
- 陰茎の角度を60度にすると、尿道が直線化する。
- 男性の尿道は16〜18cm。

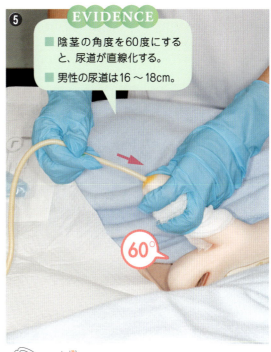

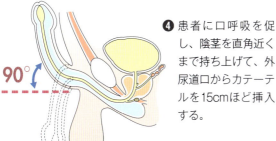

❹ 患者に口呼吸を促し、陰茎を直角近くまで持ち上げて、外尿道口からカテーテルを15cmほど挿入する。

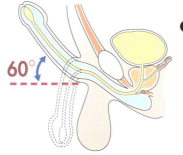

❺ 陰茎の角度を60度程度に下げ、さらに5cm程度、カテーテルを挿入する。

❻ **POINT**
- 鑷子による挿入は禁忌。(Q&A参照)

POINT
- 尿の流出を必ず確認！

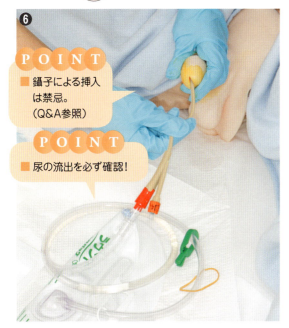

❻ 尿の流出を確認する。

❼ **POINT**
- バルーン充填量を適切に！
- バルブ接続時は強く押し込まない！(Q&A参照)

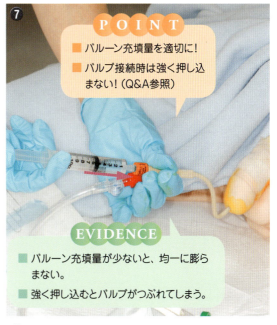

EVIDENCE
- バルーン充填量が少ないと、均一に膨らまない。
- 強く押し込むとバルブがつぶれてしまう。

❼ バルーン内にゆっくりと滅菌精製水（この場合10mL）を注入する。

CHAPTER 9

PROCESS 5 カテーテルと蓄尿袋の固定

9-5

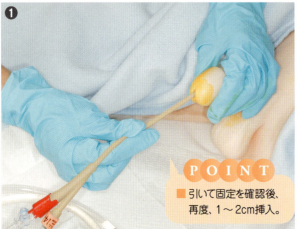

POINT
- 引いて固定を確認後、再度、1〜2cm挿入。

❶ カテーテルをゆっくりと引き、固定されたことを確認する。その後、再び1〜2cm挿入する。
外尿道口からの出血の有無、尿の性状、患者の状態を観察する。

❷ 蓄尿袋は、膀胱より下になるよう固定する。

POINT
- 蓄尿袋は、膀胱の高さより下に設置する。

EVIDENCE
- 蓄尿袋が膀胱より上になると、尿が逆流する機会が増え、細菌が膀胱内に入る逆行性感染のリスクがある。

EVIDENCE
- 男性の場合、バルーンを入れたことで陰嚢角部に常時圧力が加わると、潰瘍を形成することがある。

潰瘍

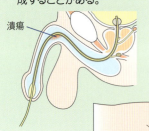

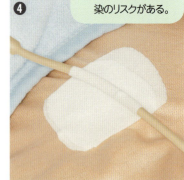

❸ 左右どちらかの腸骨稜にまずテープを1枚貼る。カテーテルの下に指2本分ぐらいが入るゆとりを持たせて固定する。

❹ テープの上にカテーテルを置き、さらにもう1枚のテープをカテーテルに密着させて貼る。

❺ 物品を片付け、患者の寝衣を整える。

PROCESS 6 経尿道的膀胱留置カテーテルの管理

経尿道的膀胱留置カテーテル管理の主眼は、尿路感染症の予防である。
尿路感染症は、病院ではよくみられる医療関連感染症の1つだが、菌血症に関連し死亡に至る可能性もある。カテーテルの留置が長期になればなるほど感染リスクが高まることを念頭に、できるだけ早期のカテーテル抜去を検討することが望ましい。

尿路感染症	
症状	頻尿・残尿感・発熱、下腹部痛・側腹部痛
無症状	膿尿・細菌尿
*尿路カテーテル感染の多くは無症状といわれる(文献6)	

感染経路
1. 膀胱内のバイオフィルム(Q&A参照)
2. 尿道口:カテーテル挿入時/カテーテルと尿道の隙間
3. ライン接続部
4. 採尿口

管理の実際			
観察	●尿量・性状(色・浮遊物)・臭い ●ラインの確認:カテーテルの折れ曲がり、閉塞、抜去、接続の緩み、尿漏れ、蓄尿袋の位置 ●皮膚の状態(陰部・固定部) ●疼痛や違和感の訴え	カテーテル交換	●カテーテルと蓄尿袋を同時に交換する。 ●日本では長期間の留置が多いため、閉塞に注意し、閉塞兆候(尿混濁など)が現れたら、カテーテルと蓄尿袋を同時に交換する。 ●閉塞すると尿路内圧が上昇し、尿性敗血症の危険性がある(文献9)。
移動	●移動時は、蓄尿袋を膀胱より上に持ち上げない。		
飲水	●膀胱内に菌を停滞させないため、飲水を十分に行う。	テープ固定	●長期間同じ場所での固定を避け、少しずつずらす。 ●貼り替え時期は、皮膚の状態とテープの粘着力で判断。入浴後などと目安を決めておくとよい。
陰部ケア	●陰部を清潔に保ち、不快感をなくす。 ●石けん洗浄・消毒といったケアの実態(文献7)、および消毒効果の有無(文献8・5)は結果がさまざまである。 ●カテーテルによる分泌物の増加、便汚染などの可能性が高く、かつ頻回の消毒による皮膚障害を考慮すると、石けん洗浄のみでよいと思われる。	検体採取	●サンプルポートを消毒して、採取する。 ●カテーテルと蓄尿袋の接続部を外しての採取は、避ける(感染予防)。無理な場合は滅菌手袋を装着し、必ず消毒を行う。 ●サンプルポートがない場合は、カテーテル交換時に採取する。
尿廃棄	●1日3回:8時間ごと(CDC)。 ●採尿口が容器に触れないよう注意。	患者への説明	●移動時の蓄尿袋の高さ。 ●挿入部位に不潔な手で触れない。 ●違和感がある時は、我慢せずに伝える。

CHAPTER 9

PROCESS 7 経尿道的膀胱留置カテーテルの抜去

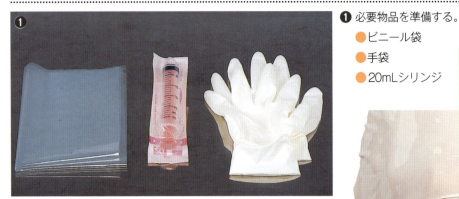

❶ 必要物品を準備する。
- ビニール袋
- 手袋
- 20mLシリンジ

EVIDENCE
- シリンジ内筒先端のゴムが固着していると、バルーン収縮による自然抜水が困難となる。

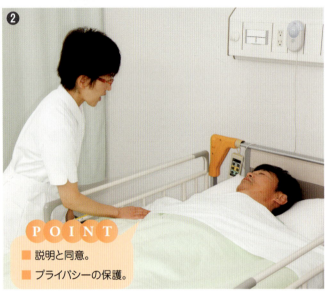

POINT
- 説明と同意。
- プライバシーの保護。

❷ 患者に説明を行い、カーテンを閉めるなど、プライバシーに配慮して環境を整える。

❸ シリンジの内筒の動きを確認し、少し引いておく。

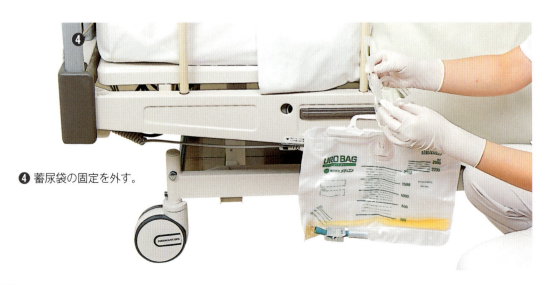

❹ 蓄尿袋の固定を外す。

経尿道的膀胱留置カテーテル

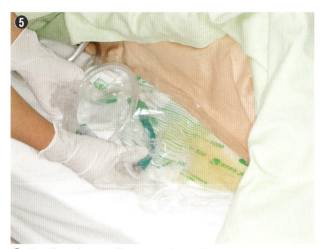

❺ 蓄尿袋をビニール袋に入れ、患者の体の近くに置く。

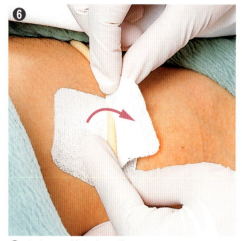

❻ 患者に下着を少しずらしてもらい、固定用テープをはがす。

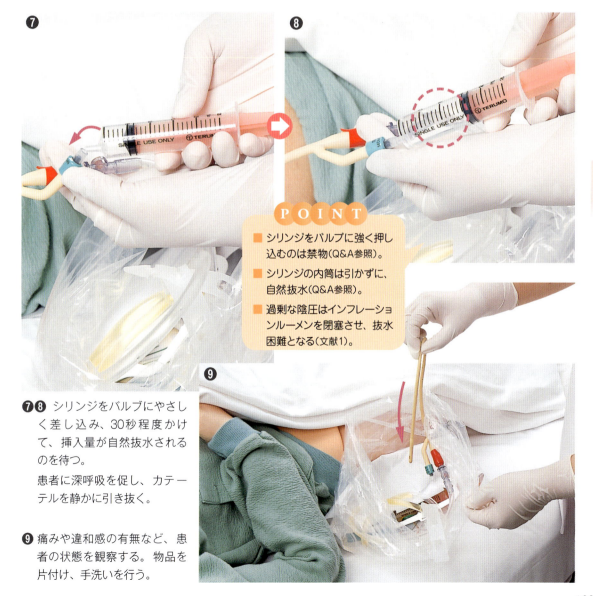

❼❽ シリンジをバルブにやさしく差し込み、30秒程度かけて、挿入量が自然抜水されるのを待つ。
患者に深呼吸を促し、カテーテルを静かに引き抜く。

❾ 痛みや違和感の有無など、患者の状態を観察する。物品を片付け、手洗いを行う。

> **POINT**
> - シリンジをバルブに強く押し込むのは禁物(Q&A参照)。
> - シリンジの内筒は引かずに、自然抜水(Q&A参照)。
> - 過剰な陰圧はインフレーションルーメンを閉塞させ、抜水困難となる(文献1)。

CHAPTER 9
経尿道的膀胱留置カテーテル

Q カテーテルの選び方は？

A カテーテルの太さは通常、14～16Fr。目的（導尿・止血）と患者の体格を考慮して選択する。

留置する際は、挿入時の損傷、潰瘍形成、膀胱テネスムス（膀胱刺激症状）を予防するため、あまり太いものは使用しない。

太さは外径で表し、号（イギリス式）とFr（フランス式）がある。現在は、Frが使用される。

太さの表示は、包装とカテーテル自体に刻印されている。

1Fr＝1/3mm

$$○Fr ÷ 3 = 外径(mm)$$

（例）16Fr÷3＝5.3mm

また、カテーテルには2ウェイ、3ウェイなどさまざまなタイプがあり、用途によって選択される。

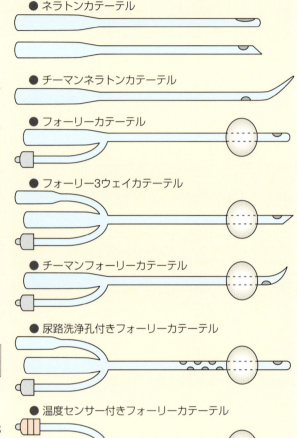

- ネラトンカテーテル
- チーマンネラトンカテーテル
- フォーリーカテーテル
- フォーリー3ウェイカテーテル
- チーマンフォーリーカテーテル
- 尿路洗浄孔付きフォーリーカテーテル
- 温度センサー付きフォーリーカテーテル

注）イラストは模式的に描いており、実物とは比率が異なります。

Q バルーンに固定用水を出し入れする際の注意点は？

A いちばん気を付けたいのは、バルブに接続する、注水する、抜水するといった操作のすべてにおいて、「力を加えすぎない」ことである。バルブやインフレーションルーメンがつぶれてしまうことがある。

バルーンの扱いを誤ると抜去困難になるため、注意が必要である。

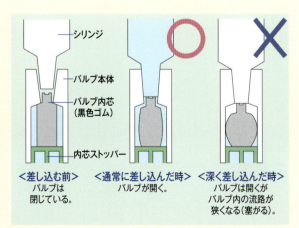

＜差し込む前＞ バルブは閉じている。
＜通常に差し込んだ時＞ バルブが開く。
＜深く差し込んだ時＞ バルブは開くがバルブ内の流路が狭くなる（塞がる）。

＊阿曾佳郎監修：バルーンカテーテル取扱上の注意．メディコン，2001，p2より

経尿道的膀胱留置カテーテル

Q 尿路感染で最近、耳にするバイオフィルムとは?

A わかりやすい例をあげると、歯垢や台所のヌルヌルがバイオフィルム。

細菌が固体（ここではカテーテル）に付着すると、多糖類（グリコカリックス）と呼ばれる粘液を分泌して増殖する。そこに、さまざまな細菌・微生物が住みつき、さらに粘液を分泌して増殖し、強固に定着してバイオフィルムとなる。

抗菌薬を投与しても、細菌はバイオフィルムに守られて効果がない。さらにバイオフィルムに菌が出入りするため、感染症の再発を繰り返す。尿路バイオフィルム感染症は尿流動態が保たれていれば急性症状の出現はまれであり、共棲も可能といわれる。急性増悪に注意して、カテーテル抜去を検討する。

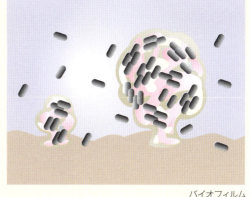

バイオフィルム

Q カテーテル挿入時に、滅菌手袋の代わりに鑷子を用いてよい?

A カテーテルは鑷子を用いると傷がつきやすく、傷ついた穴から水漏れや尿漏れが起き、カテーテルを抜去できなくなることがある。

また、鑷子を用いてカテーテルを把持すると、潤滑剤で滑りやすいこともある。そのため、思った以上の力がカテーテルにかかりやすくなる。必ず滅菌手袋を装着し、手でカテーテルを挿入する。

Q 水溶性潤滑剤以外の潤滑剤を用いてもよい?

A 油性（ワセリンやオリーブオイルなど）や鉱物性の潤滑剤は、カテーテルの多くの素材であるゴムと反応し、固くなり、変形したり破損したりするため、抜去できなくなることがある。

どのような材質のカテーテルか、どのような潤滑剤を用いてよいか、取扱説明書を確認する。

カテーテル留置後、外尿道口などに軟膏やワセリンを塗布する際は、カテーテルの材質に影響しないか、必ず確認する。

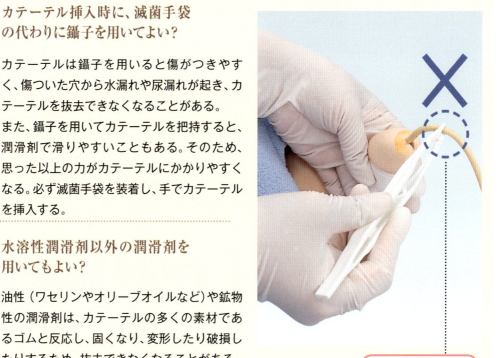

カテーテルを鑷子で把持すると傷がつきやすい

CHAPTER 9 経尿道的膀胱留置カテーテル

CHAPTER 10 グリセリン浣腸法

グリセリン浣腸法は、排便の援助として日常的に行われているが、腸壁の損傷や血圧変動などの危険を伴う。実施の必要性をアセスメントし、医師に確認のうえ、慎重に行うことが大切である。

目的 グリセリン液を直腸内に注入することにより、便を滑らかにすると同時に、腸壁に刺激を与えて蠕動運動を起こし、便を排出しやすくする（文献1）。

適応 自然な排便を促しても、効果が得られない場合。

禁忌（文献2）
1. 脳圧亢進症状がある、または予測される場合
2. 動脈瘤、重篤な高血圧、心疾患がある場合
3. 血圧変動が激しい場合
4. 衰弱が著しい場合
5. 下部消化管・生殖器系の術後患者
6. 腸管内出血、腹腔内炎症のある患者、腸管に穿孔もしくは穿孔のおそれがある患者
7. 嘔気・嘔吐、または激しい腹痛など、急性腹症が疑われる患者

■直腸・肛門管の解剖

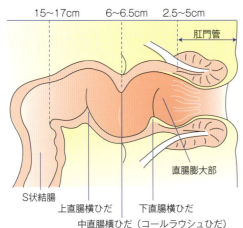

*川島みどり編著：改訂版 実践的看護マニュアル 共通技術編. 看護の科学社, 2002, p163より

グリセリン浣腸法の必要性をアセスメントする視点
- 最終排便日と、そのときの便の性状・量
- 排便パターン（何日おき？ 便の性状・量は？）
- 腹部の状態（腸雑音・膨満）
- 腹痛の有無
- 下剤の使用状況
- 便秘を副作用とする薬剤の使用状況（バリウム・麻薬・パーキンソン病治療薬・抗がん剤など）
- バイタルサイン（血圧・脈拍・体温・呼吸・意識状態）
- グリセリン浣腸の禁忌の有無
- 痔疾患、腸管の癒着や狭窄などの有無
- 出血傾向の有無

― グリセリン浣腸法

PROCESS 1 必要物品の準備

男性の場合
男性の場合は、便器とともに尿器も使用する必要がある。

＊50％グリセリン浣腸液注入量の目安は、原則として体重1kgあたり1〜2mLという報告もある。

❶ 50％グリセリン浣腸液（1回量：成人50〜120mL）入り＊、ディスポーザブル浣腸器
❷ 湯入りピッチャー　❸ 潤滑剤（ワセリンなど）　❹ 無鉤鉗子（必要時）　❺ 手袋
❻ 膿盆（ビニール袋付き）　❼ 処置用シーツ　❽ トイレットペーパー
❾ タオルケット、もしくは綿毛布　❿ 便器・便器カバー／尿器（男性の場合）　⓫ ガーゼ　⓬ 聴診器

PROCESS 2 患者への説明と同意、準備

❶ 目的・方法・所要時間などを事前に説明し、同意を得る。実施前には、排尿を済ませてもらう。

POINT
- 意識のある患者にも、ない患者にも説明を。
- 多床室の場合は、食事の前後、面会時間帯の実施は避ける。
- 排尿を済ませて膀胱を空にし、腹圧を下げる。
- 歩行が可能な患者の場合は、トイレを確保しておく。

浣腸器2種

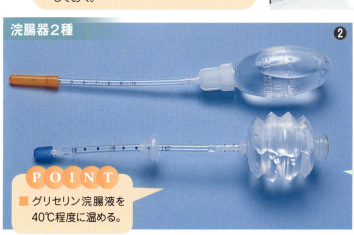

POINT
- グリセリン浣腸液を40℃程度に温める。

❷ 50℃程度の湯入りピッチャーに浣腸器を入れ、40℃程度に温める。
浣腸器は、写真のように液の入った容器とチューブからなる。本章では、容器が蛇腹になったタイプ（写真下）を使用する。

EVIDENCE
- 43℃以上：腸粘膜損傷の危険がある。

CHAPTER 10　グリセリン浣腸法

CHAPTER 10

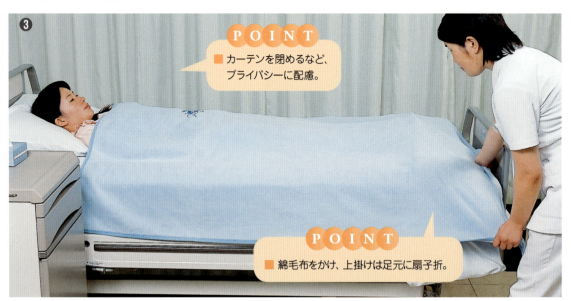

POINT
- カーテンを閉めるなど、プライバシーに配慮。

POINT
- 綿毛布をかけ、上掛けは足元に扇子折。

❸ グリセリン浣腸法は羞恥心を感じさせる手技であるため、環境を整え、プライバシーの保護に努める。患者に綿毛布もしくはタオルケットをかけ、上掛けは足元に扇子折にする。

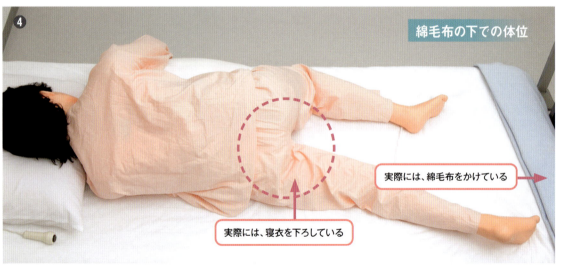

綿毛布の下での体位

実際には、綿毛布をかけている

実際には、寝衣を下ろしている

❹ 綿毛布の下で患者の寝衣を下げ、左側臥位にする。片足を曲げ、体位を安定させる。

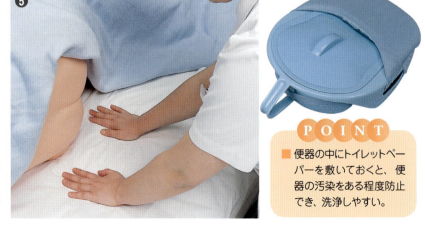

POINT
- 便器の中にトイレットペーパーを敷いておくと、便器の汚染をある程度防止でき、洗浄しやすい。

❺ 患者の腰の下に処置用シーツを敷く。便器にトイレットペーパーを敷いておく。

グリセリン浣腸法

PROCESS 3 グリセリン浣腸の実施

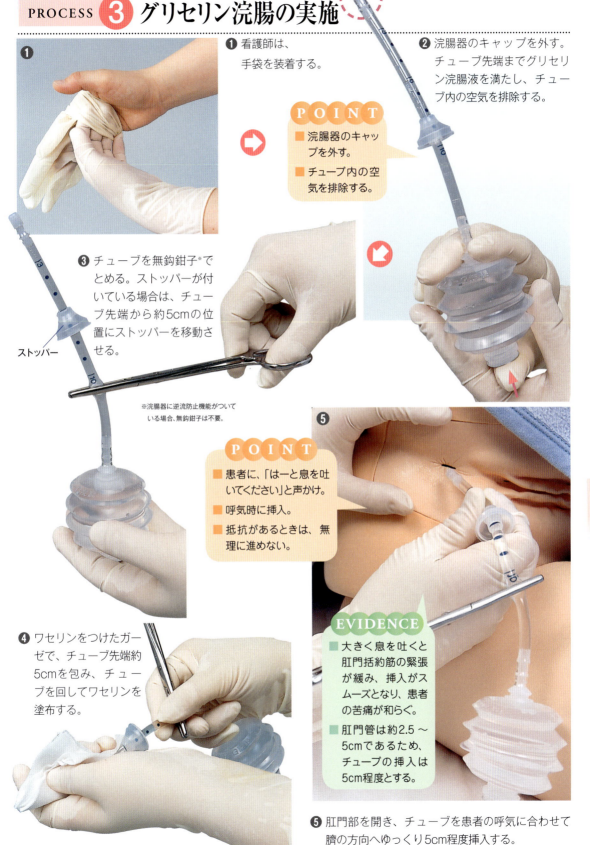

❶ 看護師は、手袋を装着する。

❷ 浣腸器のキャップを外す。チューブ先端までグリセリン浣腸液を満たし、チューブ内の空気を排除する。

POINT
- 浣腸器のキャップを外す。
- チューブ内の空気を排除する。

❸ チューブを無鈎鉗子*でとめる。ストッパーが付いている場合は、チューブ先端から約5cmの位置にストッパーを移動させる。

ストッパー

※浣腸器に逆流防止機能がついている場合、無鈎鉗子は不要。

POINT
- 患者に、「はーと息を吐いてください」と声かけ。
- 呼気時に挿入。
- 抵抗があるときは、無理に進めない。

❹ ワセリンをつけたガーゼで、チューブ先端約5cmを包み、チューブを回してワセリンを塗布する。

EVIDENCE
- 大きく息を吐くと肛門括約筋の緊張が緩み、挿入がスムーズとなり、患者の苦痛が和らぐ。
- 肛門管は約2.5〜5cmであるため、チューブの挿入は5cm程度とする。

❺ 肛門部を開き、チューブを患者の呼気に合わせて臍の方向へゆっくり5cm程度挿入する。

CHAPTER 10 グリセリン浣腸法

169

CHAPTER 10

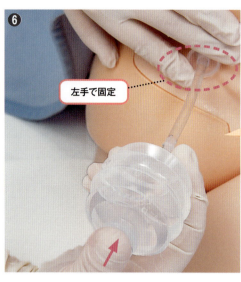

❻ 左手で固定

POINT
- 注入時は、挿入の長さを変えないよう、チューブ部分を左手で固定。ストッパーがある場合は、肛門をストッパーで押さえるようにするとよい。
- 蛇腹容器を押しつぶすようにして、液を押し出す。蛇腹がない容器は、手掌で握るようにする。
- 注入速度が速すぎると、機械的刺激によって排便反射を誘発し、腸蠕動が起きる前に液のみが排出されてしまうので注意する。
- 出血、結腸穿孔、血圧変動によるショックを予測し、不快感、腹痛、冷汗などに注意する。

❻❼ 無鉤鉗子を開き、ゆっくりとグリセリン浣腸液を注入する。注入が終わったら、チューブを静かに、ゆっくりと抜去する。

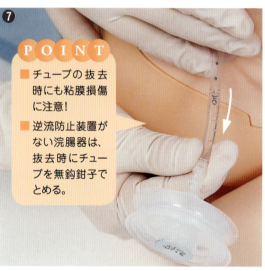

POINT
- チューブの抜去時にも粘膜損傷に注意!
- 逆流防止装置がない浣腸器は、抜去時にチューブを無鉤鉗子でとめる。

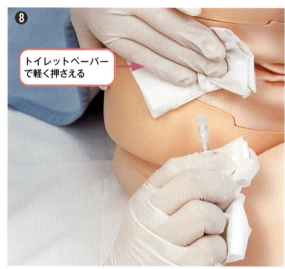

トイレットペーパーで軽く押さえる

❽ 患者に、少しの間排便を我慢するよう説明し、肛門部をトイレットペーパーで圧迫する。患者の状態によっては、グリセリン浣腸液の注入直後に便器を当てる。

実際には、綿毛布をかけている

POINT
観察ポイント
- 抜去したチューブ：挿入部への血液付着の有無
- 便の状態：量・色・性状・臭気・混入物
- 患者の状態：
  1. 腹痛・肛門痛・肛門部出血・腹部膨満感・残便感・疲労感の有無
  2. 腸蠕動音
  3. 顔色・バイタルサイン
  4. 尿の色（グリセリン浣腸施行後数時間）

❾ 便器を殿部に当て（男性の場合は尿器も当て）、排便してもらう。排便後は肛門部をトイレットペーパーで拭き、便の状態、患者の状態を観察する。必要時には、陰部洗浄を行う。患者の寝衣・上掛けを整え、部屋の換気を行う。

グリセリン浣腸法

Q グリセリン浣腸の際、チューブ挿入の適切な長さは？

A グリセリン浣腸により排便効果を得るためには、グリセリン浣腸液が肛門管（肛門から約2.5〜5cm）を超え、直腸膨大部に注入される必要がある。

一方、肛門管から直腸膨大部への移行部は会陰曲と呼ばれ、背部方向にほぼ直角に曲がっている。そのため、チューブを深く挿入しすぎると、会陰曲の内壁を損傷する可能性がある。

したがって、グリセリン浣腸時のチューブ挿入の長さは、5cm程度が適切である。

Q 立位でのグリセリン浣腸が禁忌である理由は？

A 2006年に日本看護協会から出された「立位による浣腸実施の事故報告」によれば、グリセリン浣腸による直腸穿孔事例が4件報告され、いずれもトイレにおいて立位で実施していた。

また、神奈川県看護協会医療安全対策課の報告では、立位では背側から挿入を行うため、チューブ先端が会陰曲に直角に近い状態で接触しやすく、直腸粘膜を傷つけやすいと指摘している。

直腸粘膜の損傷、直腸穿孔を避けるためには、立位でのグリセリン浣腸を行ってはならない。

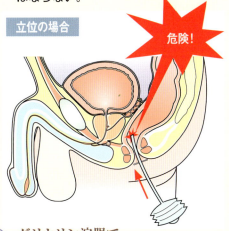

立位の場合　危険！

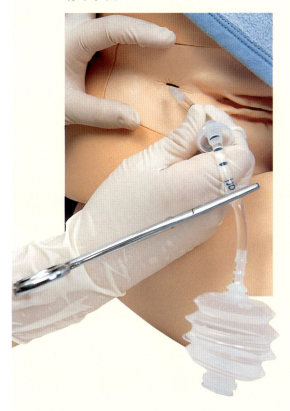

Q グリセリン浣腸で溶血を起こす可能性は？

A 直腸に創傷部がある場合、そこからグリセリン浣腸液が血管内に移行することにより溶血が起こる。溶血が重篤である場合は、腎不全を引き起こす可能性もある。グリセリン浣腸の実施前には、痔疾患や肛門損傷の有無を確認する必要がある。

さらに、グリセリン浣腸実施時には、チューブで直腸壁を損傷しないことが重要である。

CHAPTER 11 摘便

摘便は「手指・用具を用いて、直腸および肛門部にたまっている便塊をかき出すこと」(文献8)である。本章では手指を用いた方法を紹介する。摘便を行う際は、患者の羞恥心に配慮し、また物理的刺激により直腸壁を損傷することがないよう、安全に、慎重に実施する必要がある。

目的 排泄されずに直腸および肛門部にとどまっている便塊を、肛門から指を挿入してかき出し、排便を助ける。

適応 自然な排便を促しても効果が得られず、自力排便が困難な場合。

禁忌(文献1)
＊バイタルサインをチェック後、医師と相談して実施。

1. 心疾患（心筋梗塞、またはその疑い、冠不全、心不全）がある場合
2. 肺塞栓
3. 肛門周囲に炎症・傷などがあり、悪化のおそれがあるとき
4. 直腸（肛門付近）にポリープなどがあり、出血の可能性があるとき
5. 肛門・直腸・泌尿生殖器・腹式会陰手術後
6. 骨盤領域の放射線照射中
7. 妊娠中

※グリセリン浣腸液の血中への移行による有害事象を予防するため、摘便とグリセリン浣腸の併用は禁忌

摘便の必要性をアセスメントする視点	摘便の危険性をアセスメントする視点
● 患者の便意と不快感（苦痛）の有無・程度	＊患者が以下の状態の場合は摘便を行わない（禁忌）。または、医師に相談し、バイタルサインや手技に十分注意して実施する。
● 最終排便日と、その時の便の性状・量	
● 排便パターン（何日おきか、便の性状・量）	● 心疾患がある（心筋梗塞またはその疑い、冠動脈疾患、心不全など）
● 食事摂取量と水分摂取の状況	
● 腹部の状態（腸蠕動音、膨満の有無）	● 肛門周囲に炎症・創傷などがあり、悪化のおそれがある
● 腹痛の有無	
● 下剤の使用状況	● 直腸（肛門の付近）にポリープなどがあり、出血の可能性がある
● 便秘を副作用とする薬剤の使用状況（バリウム・麻薬・パーキンソン病治療薬・抗がん薬など）	● 肛門・直腸・泌尿器・生殖器・会陰（腹式）の手術後
	● 骨盤領域の放射線照射中
● バイタルサイン（血圧・脈拍・体温・呼吸・意識状態）	● 妊娠中
	● 出血傾向がある

摘　便

PROCESS ❶ 必要物品の準備

男性の場合
男性の場合は、便器とともに尿器も使用する。

❶ 潤滑剤
❷ 手袋（2組：重ねて装着）
❸ 処置用シーツ
❹ トイレットペーパー
❺ 柔らかい布（排便後の清拭のため）
❻ 洗浄用スポイト（状況に応じて）
❼ 綿毛布、もしくはタオルケット
❽ 便器（便器カバー）・尿器（男性の場合）
❾ 聴診器
❿ ガーゼ
⓫ おむつ

PROCESS ❷ 患者への説明と同意、準備

❶ 摘便は患者に心身の苦痛を与える。「お通じがとても出にくいようですので、指で出します」など、目的や方法、所要時間をわかりやすく説明し、同意を得る。

POINT
- 意識のある患者にも、ない患者にも説明を。
- 多床室では食事前後、面会時間などは避ける。
- 個室では、ドアに「処置中」と表示する。
- プライバシーの保護（カーテンなど）。

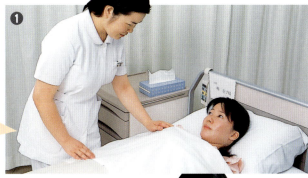

❷ 患者に綿毛布、もしくはタオルケットをかけ、上掛けは足元に扇子折にする。

POINT
- 上掛けは足元に扇子折。

CHAPTER 11

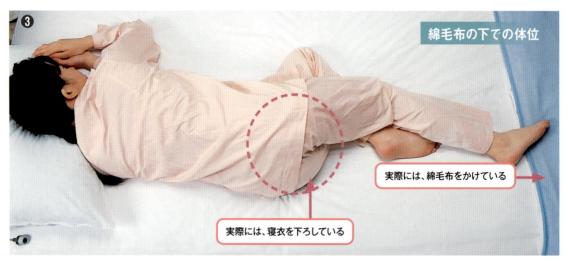

綿毛布の下での体位

実際には、綿毛布をかけている

実際には、寝衣を下ろしている

❸ 綿毛布の下で患者の寝衣を下げ、左側臥位にする。側臥位がとれない場合は、仰臥位でもよい。

❹ 腰の下に処置用シーツを敷き、差し込み便器もしくは紙おむつを殿部のそばに置く。患者の状態に合わせて、便器・紙おむつを使い分ける。

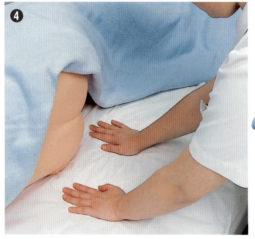

POINT
- 便器の中にトイレットペーパーを敷いておくと、便器の汚染をある程度防止でき、洗浄しやすい。

PROCESS ❸ 摘便

❶ 手袋を装着する。排便後の清拭などを考慮し、2枚重ねで装着しておくとよい。

❷ 示指に、十分な量の潤滑剤をつける。

POINT
2枚装着の目的
- 手袋が破損したときの感染予防。
- 摘便中に手袋が著しく汚染された場合、1枚目を外して2枚目を使用する。
- 1枚目を外して排便後の清拭に移ることができる。

EVIDENCE
- 肛門柱や直腸粘膜は、物理的刺激に極めて弱い。損傷を防ぐため、指の滑りをよくすることが大切(文献3)。

摘便

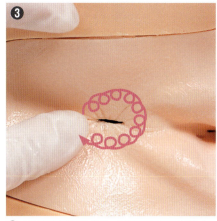

❸ 肛門部を確認する。肛門周囲を輪状にマッサージする。

POINT
- いきなり指を挿入するのではなく、周囲に触れてから挿入することで、患者にリラックスを促す。
- 硬便を一度に出そうとすると、痛みが伴う。直腸や肛門の粘膜損傷の可能性もある。

POINT
- 肛門から挿入した第2指を少しずつ動かす。直腸を傷つけないように、便塊を少しずつほぐすようにして出す。

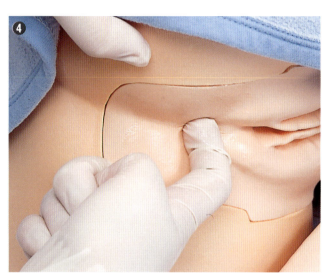

❹ 患者に声をかけ、第2指を肛門から患者の背側に向けて挿入する。

腹圧をかけ（いきむように）、便塊が肛門まで下降してくるのを促す。指をゆっくり動かす。肛門部に近い便塊から、少しずつほぐしながら、肛門外へかき出す。

POINT
- 第2指に潤滑剤をたっぷりつける。
- 肛門管と直腸の角度を考慮し、第2指を肛門から患者の背側に向けて挿入する。

患者は、
- 挿入時には、息を吐く。
- その後は、口呼吸。

実際には、掛け物をかけている

POINT
終了後のポイント
- 便の状態を観察。
  →量・色・性状・臭気・混入物
- 患者の状態を観察。
  →残便感・疲労感の有無
  →顔色、バイタルサインなど
- 部屋の換気、保温にも配慮。

❺ 硬便を取り出した後は、残便が自然に出てくることがあるので、便器を当てて様子をみる（男性の場合は尿器も当てる）。その際、排便を促すために、患者に腹圧をかけるよう促し、患者の下腹部を実施者の手で圧迫する場合もある。

直腸内の便塊の有無、便意の有無を確認し、終了する。その後、陰部を清潔にし、寝衣・掛け物を整え、後片付けを行う。

CHAPTER 11 摘便

Q 摘便は便秘解消の第一手段？

A 人間にとって、何よりも自然な排便が望ましい。そのためには、バランスのよい食事や十分な水分摂取、適度な運動、腹部マッサージ、腰背部温罨法が有効である。
場合によっては、下剤（内服薬、坐剤）、グリセリン浣腸が用いられる。それでも排便がみられない場合は、摘便を行う。
摘便は排便を促すケアの最終手段である、ということを念頭におき、慎重に実施する必要がある。

Q 摘便時の苦痛を少しでも少なくするには、どうしたらよい？

A まず、患者に摘便の目的や方法をわかりやすい言葉で説明し、理解してもらうことが大切である。また、プライバシーの保護に努め、心身ともにリラックスできる環境をつくるとともに、声かけを行う。肛門に指を挿入する際は、患者の呼気に合わせることが必要である。

患者の呼気に合わせ、ゆっくり、1、2、はーと、声をかける

はー

呼気に合わせ、挿入

Q 下痢の失禁が続いているときに、摘便が必要な場合は？

A 直腸の下方に硬く大きな便塊がはまり込むと、直腸壁の伸展によって肛門括約筋が弛緩された状態になる。
そのため、硬便の上部の流動便が便塊のすき間や直腸壁との間を伝わって流出し、失禁状態となる。
このような場合は、摘便が必要となる。

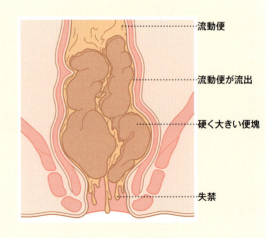

流動便
流動便が流出
硬く大きい便塊
失禁

CHAPTER 12 罨法

罨法は、苦痛の緩和あるいは、より積極的に安楽をもたらすために、全身あるいは特定の部位を温めたり、冷やしたりする技術である。
苦痛の軽減や症状の改善、安楽に向けての効果が期待できる。

＊「罨」は、覆いかぶせて魚や鳥を捕る網を意味する。

目的 全身あるいは特定の部位を温めたり、冷やしたりする技術により、苦痛の軽減、症状の改善、安楽をもたらす。

■罨法の効果と適応

	温罨法：身体の局所を皮膚上から温刺激して、貼付部位の組織温を上げる方法	冷罨法：身体の局所を皮膚上から冷刺激して、貼付部位の組織温を下げる方法
効果	●血管の拡張、血流の増加 ●炎症部分の組織の代謝亢進、炎症の消退を促進 ●局所の炎症性産物の消失で知覚神経の緊張、興奮の低下による疼痛緩和 ●筋弛緩効果による疼痛緩和 ●血行促進による腸蠕動の促進	●血管の収縮による止血 ●炎症部分の組織の代謝低下による細菌の活動・増殖の低下 ●組織への血流減少により知覚神経の活性を抑制し、疼痛感覚を鈍くすることによる疼痛緩和 ●頭痛・不眠における休息や入眠
適応	●筋肉痛・関節痛 ●便秘、排ガス困難、術後の腸管麻痺 ●疼痛緩和	●高熱時、体温を下げる目的で腋窩・鼠径部・頸部など大きな動脈の走行部に貼付する ●腫脹・熱感・疼痛のある炎症の急性期 ●打撲・捻挫・骨折などの初期 ●外傷など発赤・腫脹のある創傷 ●炎症のある眼、歯痛、頭痛
禁忌	●炎症の急性期 ●出血傾向のあるとき ●知覚鈍麻・知覚麻痺のあるとき ●浮腫・脱水などで皮膚が脆弱なとき	●循環不全・うっ滞のあるとき ●知覚鈍麻・知覚麻痺のあるとき ●浮腫・脱水などで皮膚が脆弱なとき

CHAPTER 12

温罨法

乾性温罨法としてホットパック、電気毛布、電気あんか、湯枕、湯たんぽ、カイロがある。湯たんぽは熱傷事故が多いため、臨床では使用されないことが多い。
湿性温罨法には温湿布、足浴、手浴がある。

PROCESS 1 必要物品の準備

温湿布の場合
1. タオル2〜3枚
2. バスタオル
3. 覆い用ビニール

ホットパックの場合
1. ホットパック
2. 布カバー

ホットパック

PROCESS 2 実施前の観察

貼用部位とその周辺の皮膚の状態を観察し、病変や違和感がないか確認する。全身状態、症状や状態の変化がないか観察する。また、知覚麻痺やしびれ、意識状態、認知レベルなど、温罨法中に熱傷を起こす危険がないか確認する。

PROCESS 3 温罨法の実施

温湿布

1. 手袋をはめ、70℃程度の湯でタオルを固く絞る。
2. 45〜55℃に冷まして、患部に当てる。タオルの温度は、看護師の前腕内側などで確認する。患部に当て、皮膚に紅斑などの変化がないか確認する。
3. 温タオルの上にビニール、タオルをかけて熱の放散を防ぐ。タオルが冷める前に除去する。

温タオルをビニール袋に入れて使用する場合もある

タオル
ビニール
温タオル

ホットパック

熱保有度の高い物質でできており、適切な温度に温め、温湿布と同様の方法で使用する。
使用中は皮膚の観察を行い、熱傷に注意する。

ホットパック
布カバーに入れて使用

PROCESS 4 実施中・実施後の観察

貼用部位とその周辺の皮膚の発赤・瘙痒感・疼痛などがないか確認。全身状態、症状・状態に変化がないか確認する。期待した効果が表れたかどうか、経過を観察する。

罨法

CHECK!
腰背部温罨法の便秘症状に対する効果

看護実践において、経験的に腰背部への温罨法が腸管の動きを促進し、排便を促すことが知られていたが、菱沼(文献1)は、実験的介入によりそれらを実証した。60℃・10分の湿熱による腰背部の温罨法を行ったところ、24時間以内に排便・排ガスがあった事例が集められている。乾熱か、湿熱か、1回か、連続貼用かなど検討課題があるものの、便秘に対して、2人に1人は楽になる看護技術として勧めることができるという。

冷罨法

乾性冷罨法として保冷剤パック、氷枕、氷嚢、氷頸がある。
湿性冷罨法には、冷湿布がある。

PROCESS 1 必要物品の準備

【氷枕の場合】
1. 氷枕
2. 氷・水
3. 留め金2本
4. 氷枕袋
5. 布カバー

【氷嚢・氷頸の場合】
1. 氷嚢・氷頸
2. 氷・水
3. 氷嚢袋・氷頸袋
4. 布カバー

PROCESS 2 実施前の観察

貼用部位とその周辺の皮膚の状態を観察し、病変や違和感がないか確認する。全身状態、症状・状態の変化がないか観察する。また、知覚麻痺やしびれ、意識状態、認知レベルなど、冷罨法中に凍傷を起こす危険がないか確認する。

PROCESS 3 冷罨法の実施

氷枕

空気を抜く

余分な水を抜く

❶ 氷枕に水を1/3ほど入れ、留め金をかけて逆さまにし、水が漏れないことを確認する。

❷ 氷枕を空にし、氷を2/3程度入れる。少量の水を入れて氷の隙間をなくし、空気を抜き、余分な水を捨てる。

POINT
- 空気は熱伝導が悪く、形態も不安定になるため、氷枕から空気を抜く。

CHAPTER 12

空気が入らないようにして、留め金をかける

留め金が外れないよう、互い違いにかける

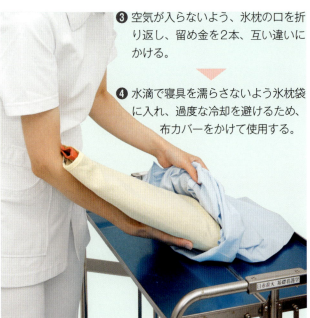

❸ 空気が入らないよう、氷枕の口を折り返し、留め金を2本、互い違いにかける。

❹ 水滴で寝具を濡らさないよう氷枕袋に入れ、過度な冷却を避けるため、布カバーをかけて使用する。

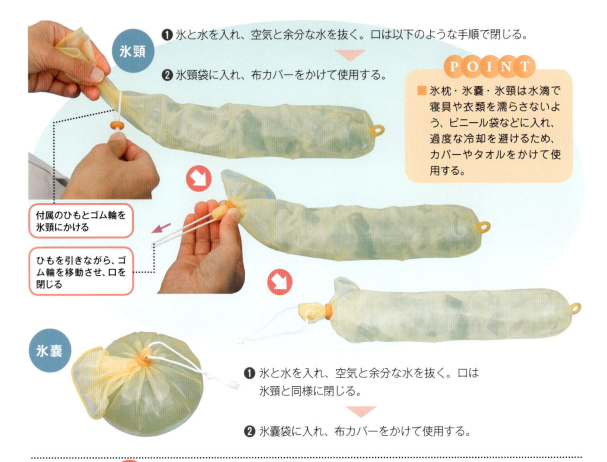

氷頸

❶ 氷と水を入れ、空気と余分な水を抜く。口は以下のような手順で閉じる。

❷ 氷頸袋に入れ、布カバーをかけて使用する。

付属のひもとゴム輪を氷頸にかける

ひもを引きながら、ゴム輪を移動させ、口を閉じる

POINT
- 氷枕・氷嚢・氷頸は水滴で寝具や衣類を濡らさないよう、ビニール袋などに入れ、過度な冷却を避けるため、カバーやタオルをかけて使用する。

氷嚢

❶ 氷と水を入れ、空気と余分な水を抜く。口は氷頸と同様に閉じる。

❷ 氷嚢袋に入れ、布カバーをかけて使用する。

PROCESS ❹ 実施中・実施後の観察

貼用部位とその周辺の皮膚に変化がないか確認する。全身状態、症状・状態に変化がないか確認する。期待した効果が表れたかどうか、経過を観察する。

罨法

あなたならどうする？

複合事例⑧

久保田直美さんは50歳の女性。糖尿病で血糖値をコントロールするため、入院しました。

入院後1週間がたちましたが、**1回も排便がありません。**

消化器機能には問題はなく、
**連日下剤を服用していますが、
効果はみられません。**

「お腹が張って、すっきりしません。
1週間も出ていませんが、大丈夫でしょうか？」

あなたなら、どのようなケアを行いますか？

対応例

- 腹部の触診・打診・聴診を行い、便塊が触れるか、鼓調音があるか、腸蠕動音の有無を確認する。腹部症状の観察に加えて、食事量・飲水量・運動量を把握し、飲水量の不足や運動不足がないか、確認する。
- 腰背部温罨法を、久保田さんに提案する。腰背部温罨法によって排ガス・排便の効果がみられることを説明する。温罨法を実施する際には、久保田さんの腰背部の皮膚に損傷、病変がないか確認する。
- 温罨法を実施した後も、排便の兆候がみられない場合には、医師と相談し、グリセリン浣腸を実施する。

CHAPTER 13 日常生活援助におけるリハビリテーション

本章では主に、脳血管障害によって自立的な運動能力が低下、あるいは麻痺を持つ人に対して、看護師が日常生活援助を通してセルフケアを支援するための援助法を紹介する。
「できること」に目を向け、主治医・理学療法士・作業療法士などとの連携を密にし、セルフケアを促進することが大切である。

> **目 的**　脳血管障害などにより自立的な運動能力が低下したり、麻痺を持つ人に対して、日常生活援助を通してセルフケアを支援し、リハビリテーションにつなげていく。

■病気のステージ別のリハビリテーション

	病気のステージ・病状	リハビリテーションのねらい	日常生活援助の中でのリハビリテーション例
急性期	●初期治療の実施。 ●呼吸・循環動態が不安定。 ●輸液・酸素などの医療器具が装着されている。	●全身状態を管理しながら、廃用症候群を予防する。 ●早期離床を目指し、ベッド上で可能なリハビリテーションを行う。 ●急性期＝絶対安静ではない。	●良肢位の保持と体位変換。 ●他動的な関節可動域運動（ROM運動）。 ●座位姿勢保持の練習。 ●筋力低下予防のための運動。
回復期	●病状が安定に向かう。 ●運動麻痺や高次脳機能障害に対する専門的治療の実施など。 ●退院・社会復帰に向けた準備。	●再発の可能性を視野に入れつつ、リハビリテーションを拡大。 ●残った身体能力を最大限に引き出す。 ●獲得した運動能力を日常生活動作に取り入れる。 ●運動能力の拡大に伴う転倒事故などに注意する。	●関節可動域運動（ROM運動）。 ●筋力低下予防のための運動。 ●ベッドからの起き上がり、移動動作の練習。 ●座位姿勢保持の練習。 ●日常生活動作（整容・着替え、トイレでの排泄、入浴・シャワー浴、食事など）の練習。
維持期	●退院、社会復帰。	●獲得した能力を維持しながら、社会生活に適応できるように継続する。	●家庭内での環境に応じた動作の練習や工夫。 ●屋外への外出、公共交通機関の利用の練習。

ROM：range of motion　　赤文字：本章で紹介

援助の前のアセスメント

- 病気のステージ・病状
- 治療上必要な安静の程度
- 運動障害の程度
- 麻痺の程度
- 筋萎縮・関節拘縮の程度
- 高次脳機能障害の程度（失語・失行・失認・記憶障害・注意障害など）
- 日常生活動作の自立状況
- リハビリテーションや回復に対する意欲・期待・他者への依存傾向

関節可動域運動（ROM運動）

関節周囲の軟部組織や結合組織の硬化・萎縮によって関節が硬くなり、動きにくくなることを拘縮と呼ぶ。拘縮状態のまま経過すると、歩行や日常生活動作に不自由をきたすことになる。
予防には、関節可動域運動が効果的である。
個々人の関節の運動方向と可動範囲に合わせて動かすことが大切である。
関節可動域運動は、おおよそ次の3つに分けることができる。

(1) **自動運動**……………患者が自分で動かす。
(2) **自動介助運動**………患者ができる範囲を自分で、できない部分を看護師や理学療法士が介助する。
(3) **他動運動**……………看護師や理学療法士が動かす。

関節可動域運動を行う際の留意点

① 関節の可動範囲、運動方向を事前に把握する。関節可動域の最終域で手に伝わる感じ（エンドフィール）に注意。

② 必ず、リハビリテーション科の医師の指示のもと、理学療法士と運動内容を検討したうえで実施する。

③ 安定した姿勢と関節の支持方法を用いて行う。

④ 麻痺側を重点的に実施する。

⑤ 痛みがある場合には、無理に実施しない。話すことができない患者の場合、表情を観察したり、痛みのサインをあらかじめ決めておく。

⑥ 運動は、ゆっくりと行う。

⑦ 過度な運動は行わない。過度な運動により、脱臼や骨折、関節炎を起こすことがある。

⑧ 1つの運動を1回に3～5回繰り返し、1日に1～2回とする。

CHAPTER 13

PROCESS 1 患者への説明と同意、準備

患者に説明を行い、同意を得る。ベッド上で行う場合は、患者をベッド中央より看護師側に寄せ、仰臥位をとる。

POINT
- 看護師側に寄せて、仰臥位をとる。

EVIDENCE
- 患者がベッド中央よりに向こう側で仰臥位をとると、看護師から遠く、不自然な姿勢での介助となり腰痛の原因になる。

PROCESS 2 肩関節の運動

肩の屈曲

❶ 看護師は、患者の手首と肘を支える。

❷ 患者の肘を伸ばしたまま前方に挙上（屈曲）し、そのまま戻す。

POINT
- ベッドが狭い場合は、患者の肘を90度程度に曲げて挙上してもよい。

EVIDENCE
- 肩関節の可動域は、屈曲（前方挙上）180度である。
- 肩関節は球関節で小さく、外圧により脱臼や損傷を生じやすい。エンドフィール（可動最終域で手に伝わる感じ）に注意し、無理な挙上は避ける。

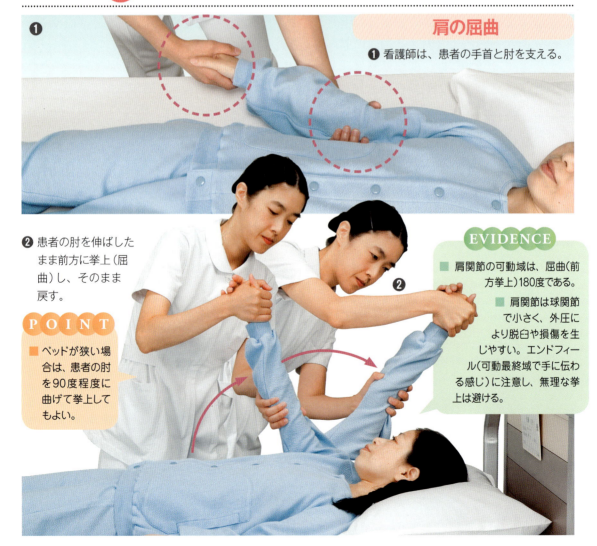

日常生活援助におけるリハビリテーション

肩の外転・内転

看護師は患者の手首と肘を支える。患者の肘を曲げて立て、体側に付けた肘を外側に90度開き（外転）、元に戻す（内転）。

POINT
- 外転は90度程度にとどめる。
- 90度以上外転する場合は、前腕を外旋位で行う。内旋位のままでは肩峰にぶつかり、外転できない。

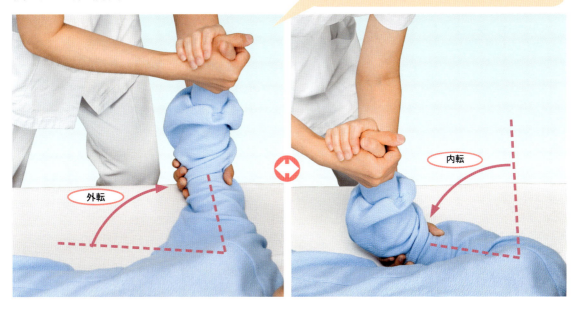

肩の外旋・内旋

看護師は患者の手首を支え、もう片方の手で肘を支える。
肘関節を基点にして、前腕部を手のひらがつく方向に動かす（内旋）。元に戻し、手の甲がつく方向に動かす（外旋）。

POINT
- 痛みが強い場合は、無理に行わない。上腕骨頭部が関節窩から脱臼する危険がある。
- 内旋位で拘縮することが多いため、外旋運動は重要であるが痛みを伴いやすいため、注意する。

CHAPTER 13

PROCESS ❸ 肘関節の運動

肘の屈曲・伸展

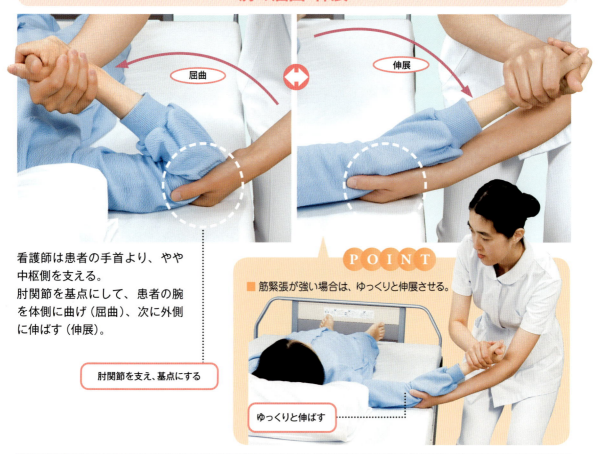

屈曲　伸展

看護師は患者の手首より、やや中枢側を支える。
肘関節を基点にして、患者の腕を体側に曲げ（屈曲）、次に外側に伸ばす（伸展）。

肘関節を支え、基点にする

POINT
- 筋緊張が強い場合は、ゆっくりと伸展させる。

ゆっくりと伸ばす

PROCESS ❹ 前腕の運動

前腕の回内・回外

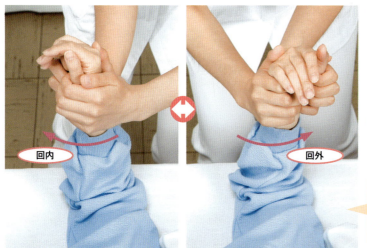

回内　回外

看護師は、患者の手首を両手で包み込むように支持する。
上腕部が前後左右に倒れないようにして、患者の手のひらが足側に向くよう、肘関節を回す（回内）。
元に戻し、患者の手のひらが頭側を向くように肘関節を回す（回外）。

POINT
- 回内の位置のまま拘縮を起こしやすい。
- 回外は、痛みに注意して、無理をせずに行う。

―日常生活援助におけるリハビリテーション

PROCESS 5 手関節の運動

手関節の掌屈・背屈

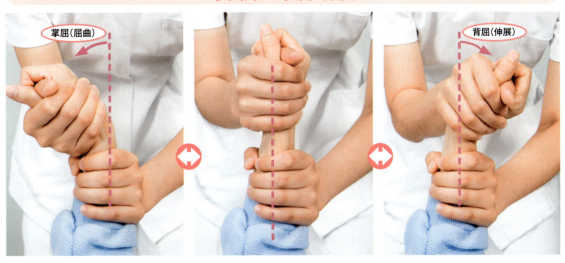

看護師は両手で、患者の手首と手掌を支持する。手首を前方に曲げ（掌屈）、元に戻し、後方にそらす（背屈）。

手指関節の伸展…その1

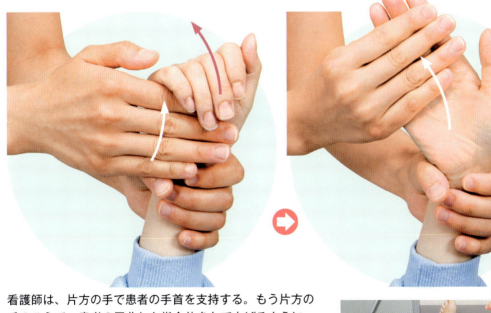

看護師は、片方の手で患者の手首を支持する。もう片方の手のひらで、患者の屈曲した指全体をなで上げるように、ゆっくりと開く。

POINT
- 手指関節は、屈曲した状態で拘縮しやすい。
- 手浴などのケアの際に、行ってもよい。

CHAPTER 13

手指関節の伸展…その2

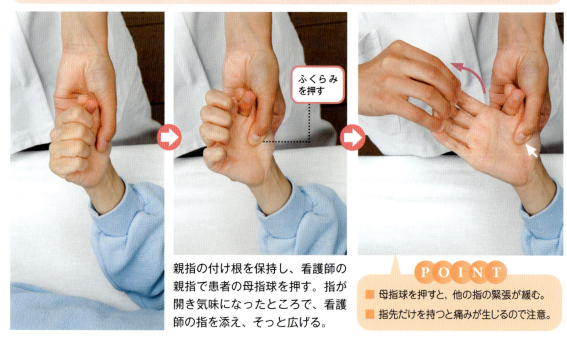

親指の付け根を保持し、看護師の親指で患者の母指球を押す。指が開き気味になったところで、看護師の指を添え、そっと広げる。

ふくらみを押す

POINT
- 母指球を押すと、他の指の緊張が緩む。
- 指先だけを持つと痛みが生じるので注意。

手指関節の伸展…その3

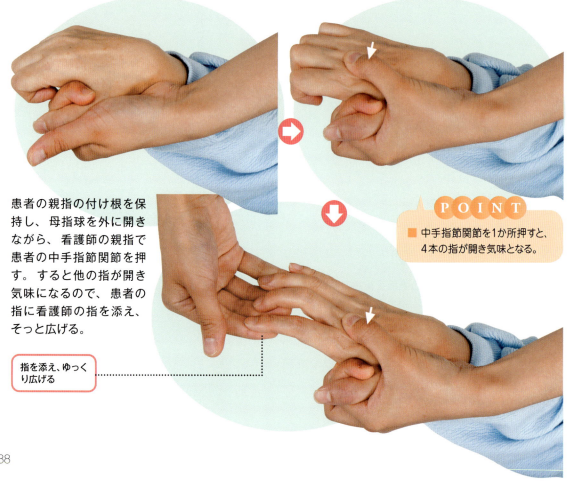

患者の親指の付け根を保持し、母指球を外に開きながら、看護師の親指で患者の中手指節関節を押す。すると他の指が開き気味になるので、患者の指に看護師の指を添え、そっと広げる。

指を添え、ゆっくり広げる

POINT
- 中手指節関節を1か所押すと、4本の指が開き気味となる。

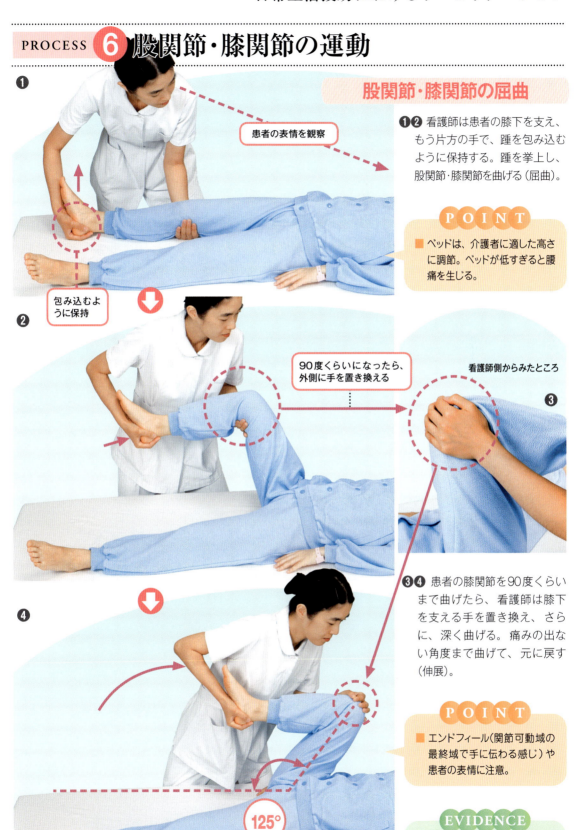

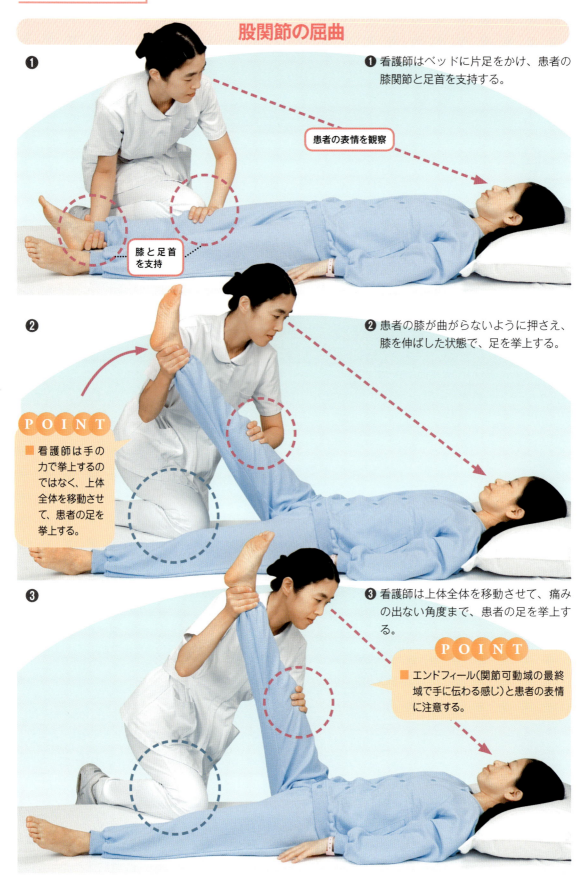

日常生活援助におけるリハビリテーション

股関節の外転・内転

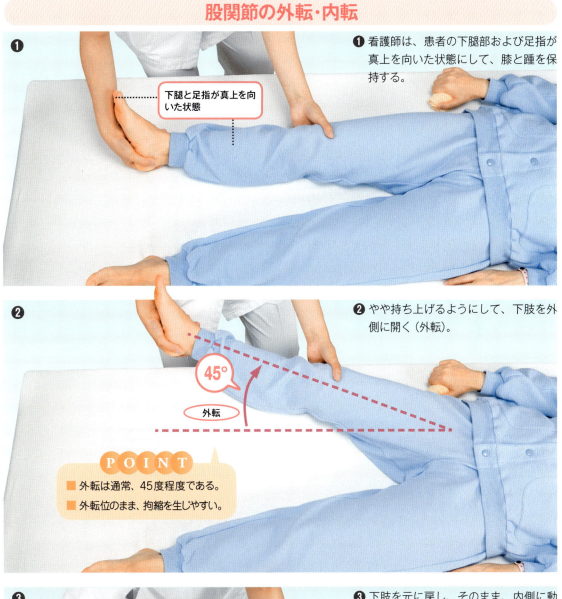

❶ 看護師は、患者の下腿部および足指が真上を向いた状態にして、膝と踵を保持する。

下腿と足指が真上を向いた状態

❷ やや持ち上げるようにして、下肢を外側に開く（外転）。

45°
外転

POINT
- 外転は通常、45度程度である。
- 外転位のまま、拘縮を生じやすい。

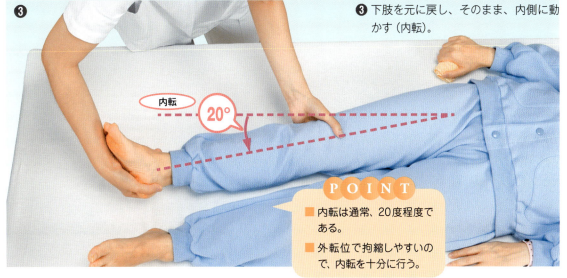

❸ 下肢を元に戻し、そのまま、内側に動かす（内転）。

内転 20°

POINT
- 内転は通常、20度程度である。
- 外転位で拘縮しやすいので、内転を十分に行う。

CHAPTER 13

股関節の外旋・内旋

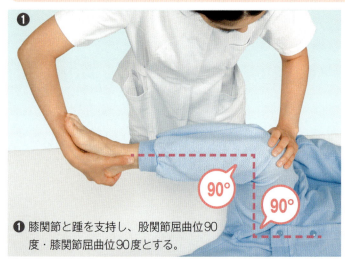

❶ 膝関節と踵を支持し、股関節屈曲位90度・膝関節屈曲位90度とする。

❷ 膝頭を基点に、踵を内側に動かす。これは、股関節の外旋となる。股関節の参考可動域は、外旋・内旋ともに45度である。

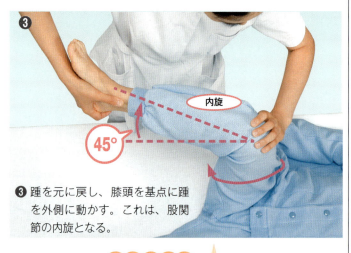

❸ 踵を元に戻し、膝頭を基点に踵を外側に動かす。これは、股関節の内旋となる。

POINT
- 外旋のまま拘縮しやすいので、内旋を十分に行う。
- 膝の内側・外側に過度のストレスが加わらないよう注意。

膝が弱い場合

膝が弱い（動揺膝）場合は、看護師が両手で膝を包み、両腕全体で下腿を保持。看護師の体全体を移動させて外旋・内旋を行う。

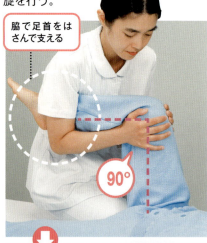

脇で足首をはさんで支える

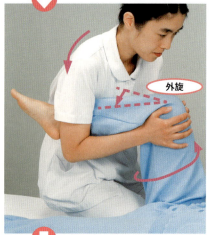

―日常生活援助におけるリハビリテーション

PROCESS 7 足関節の運動

足関節の背屈

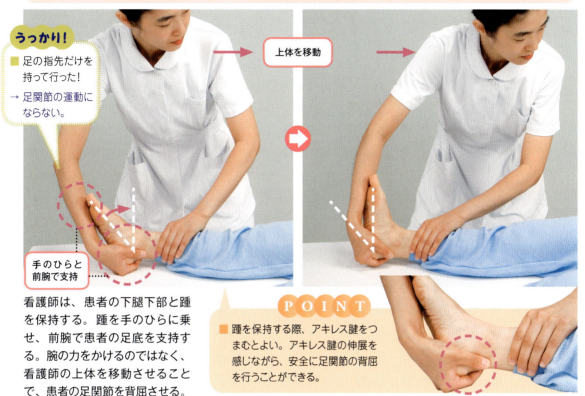

うっかり！
- 足の指先だけを持って行った！
→ 足関節の運動にならない。

上体を移動

手のひらと前腕で支持

看護師は、患者の下腿下部と踵を保持する。踵を手のひらに乗せ、前腕で患者の足底を支持する。腕の力をかけるのではなく、看護師の上体を移動させることで、患者の足関節を背屈させる。

POINT
- 踵を保持する際、アキレス腱をつまむとよい。アキレス腱の伸展を感じながら、安全に足関節の背屈を行うことができる。

足指の屈曲・伸展

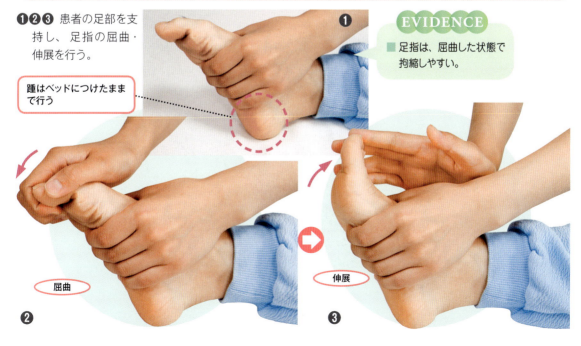

❶❷❸ 患者の足部を支持し、足指の屈曲・伸展を行う。

踵はベッドにつけたままで行う

EVIDENCE
- 足指は、屈曲した状態で拘縮しやすい。

屈曲 ❷

伸展 ❸

CHAPTER 13

座位姿勢の保持、ベッドからの起き上がり

座位姿勢の保持は、日常生活動作の基本の1つである。
座位姿勢の保持により意識の覚醒、上肢の可動域拡大、食事や排泄など生活動作の改善、生活リズムの形成といった効果が確認されている(文献4)。
ギャッチベッドによる座位のように、背面を支持した状態では、脳への刺激は少ないといわれている(文献5)。
ギャッチベッドによるファウラー位から始め、循環動態の変化を観察しながら角度を上げ、耐性をつけていく。座位姿勢の保持やベッドからの起き上がりを行う際には、三角巾で麻痺側上肢をつり、肩関節を保護する。

PROCESS 1 三角巾による肩関節の保護

❶ 三角巾の頂点が、患側の肘部にくるように当てる。
❷ 足元にある三角巾の端を折り返し、健側の肩で結ぶ。
❸ 三角巾の頂点は、肘部でとめ結びにし、内側に入れ込む。

- 患側肘部が三角巾の頂点
- 三角巾の端を折り返し、健側の肩で結ぶ
- 患側前腕は、水平もしくはやや上げぎみ
- 肩関節を覆い、保護する

三角巾の固定法 その1
- 患側の指先がみえるように

EVIDENCE

患側の肩関節は、三角巾でつるして保護
- 肩関節に上肢の荷重がかかることによって、肩関節の脱臼や損傷、関節周囲の炎症などを生じる。
- 患側上肢は全部を覆わず、指先がみえるようにして、循環不全の早期発見に努める。

日常生活援助におけるリハビリテーション

三角巾による固定法のバリエーション

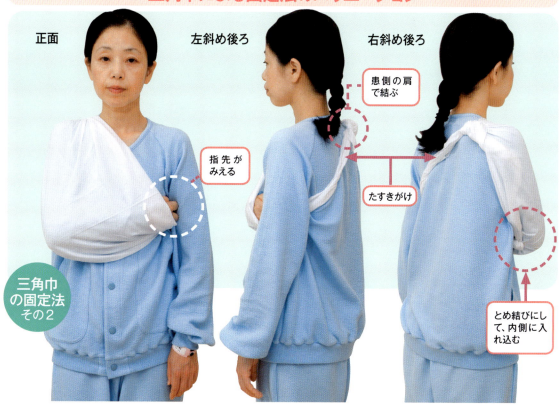

上の三角巾の固定法は、次の手順で行う。
❶ 三角巾の頂点が、患側肘部にくるよう当てる。
❷ 三角巾の下の端を折り返して患側の肩にかけ、上の端は健側腋窩を通して背中に回す。
❸ 三角巾の両端を患側の肩で結ぶ。
❹ 三角巾の頂点はとめ結びにして、内側に入れ込む。

CHECK!
三角巾の誤った用い方に注意！

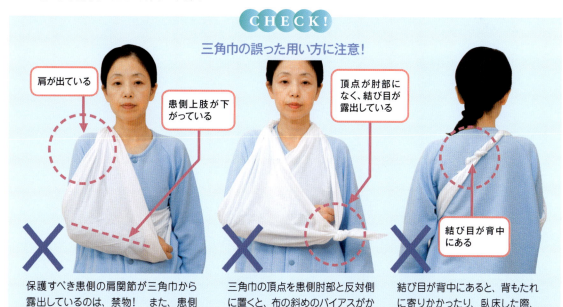

保護すべき患側の肩関節が三角巾から露出しているのは、禁物！　また、患側前腕が下がっていると、肩関節の荷重を十分に軽減できない。

三角巾の頂点を患側肘部と反対側に置くと、布の斜めのバイアスがかかり、固定できない。肘も抜けやすい。

結び目が背中にあると、背もたれに寄りかかったり、臥床した際、違和感があり不快である。

CHAPTER 13

PROCESS ❷ 車椅子での座位

車椅子での座位は、深く腰かけ、脊柱の自然な彎曲を保つことが大切。足底部が床やフットレストに接地可能な高さが、適当である。姿勢が左右に傾く場合は、枕などで固定する。

車椅子に浅く腰かけ、背中が曲がっていたり、姿勢が左右に傾いている場合は、正しい座位に直す必要がある。

足底が床やフットレストに接地可能

POINT

- 筋力が弱い患者などは、枕を使用して姿勢を保持したり、本人の承諾を得て、安全ベルトを装着する。
- 転倒リスクの高い患者に対しては、看護師が目を離さないようにする。
- 座位をとる時間は長すぎないよう、適切に。あくまで、車椅子は移動手段として用いる道具である。

EVIDENCE

- 看護師が目を離したすきに、多くの転倒事例が報告されている。「ずり落ちる」「前のめりになる」「麻痺側に傾いて車椅子ごと転倒」「車椅子ごと後方に反り転倒」などである。
- 安全ベルトを装着しても防げない事例があるため、目を離さないことが大切。
- 長時間の車椅子座位により苦痛が生じ、自分で動こうとして転倒事故が生じることもある。

深く腰かける際のポイント

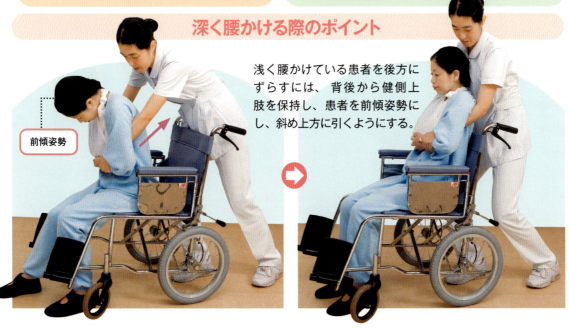

前傾姿勢

浅く腰かけている患者を後方にずらすには、背後から健側上肢を保持し、患者を前傾姿勢にし、斜め上方に引くようにする。

日常生活援助におけるリハビリテーション

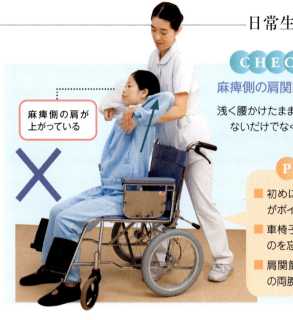

麻痺側の肩が上がっている

CHECK!
麻痺側の肩関節に注意!
浅く腰かけたままの状態で、患者を上に引き上げると、効果的に移動できないだけでなく、麻痺側の肩関節を損傷する危険がある。

POINT
- 初めに、前傾姿勢をとるのがポイント。
- 車椅子にストッパーをかけるのを忘れずに。
- 肩関節が外れないよう患者の両腕を組み、引き上げる。

うっかり!
- 姿勢を直そうとして点滴や酸素のチューブ、ライン類を引っ張ってしまった!
→ まず、ライン類を整理する。

PROCESS 3 座位を保つ練習

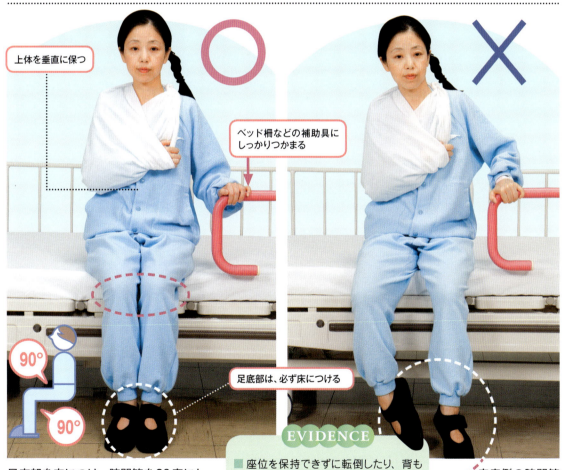

上体を垂直に保つ

ベッド柵などの補助具にしっかりつかまる

足底部は、必ず床につける

EVIDENCE
- 座位を保持できずに転倒したり、背もたれがあると思って寄りかかり転倒といった事故が、多く報告されている。
- 練習初期は、目を離さないことが大切。

足底部を床につけ、膝関節を90度にし、脊柱の自然な彎曲を保つ。手の届く範囲にベッド柵などの補助具を用意する。練習初期は、必ず、看護師とともに行う。

麻痺側の膝関節の外旋、足関節の内反位・尖足位が生じないよう注意する。

CHAPTER 13

PROCESS 4 ベッドからの起き上がり（自力で行う場合）

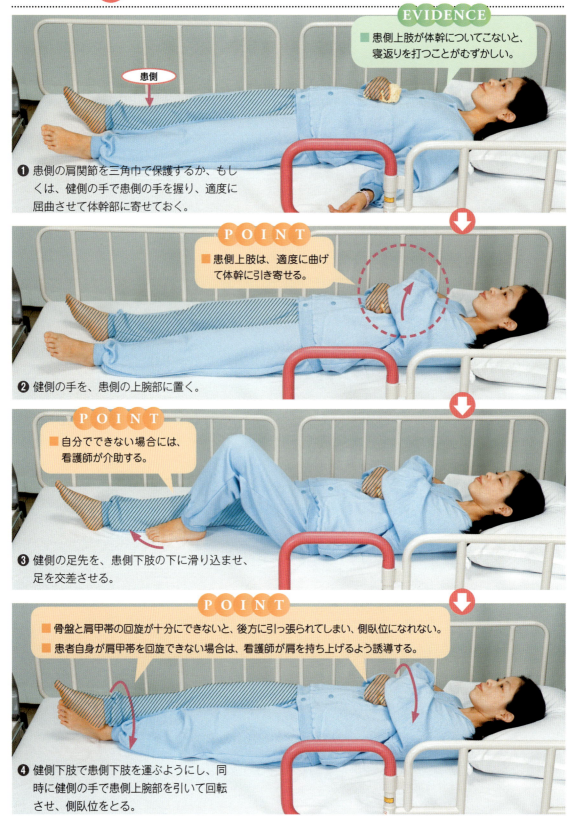

EVIDENCE
- 患側上肢が体幹についてこないと、寝返りを打つことがむずかしい。

患側

❶ 患側の肩関節を三角巾で保護するか、もしくは、健側の手で患側の手を握り、適度に屈曲させて体幹部に寄せておく。

POINT
- 患側上肢は、適度に曲げて体幹に引き寄せる。

❷ 健側の手を、患側の上腕部に置く。

POINT
- 自分でできない場合には、看護師が介助する。

❸ 健側の足先を、患側下肢の下に滑り込ませ、足を交差させる。

POINT
- 骨盤と肩甲帯の回旋が十分にできないと、後方に引っ張られてしまい、側臥位になれない。
- 患者自身が肩甲帯を回旋できない場合は、看護師が肩を持ち上げるよう誘導する。

❹ 健側下肢で患側下肢を運ぶようにし、同時に健側の手で患側上腕部を引いて回転させ、側臥位をとる。

―日常生活援助におけるリハビリテーション

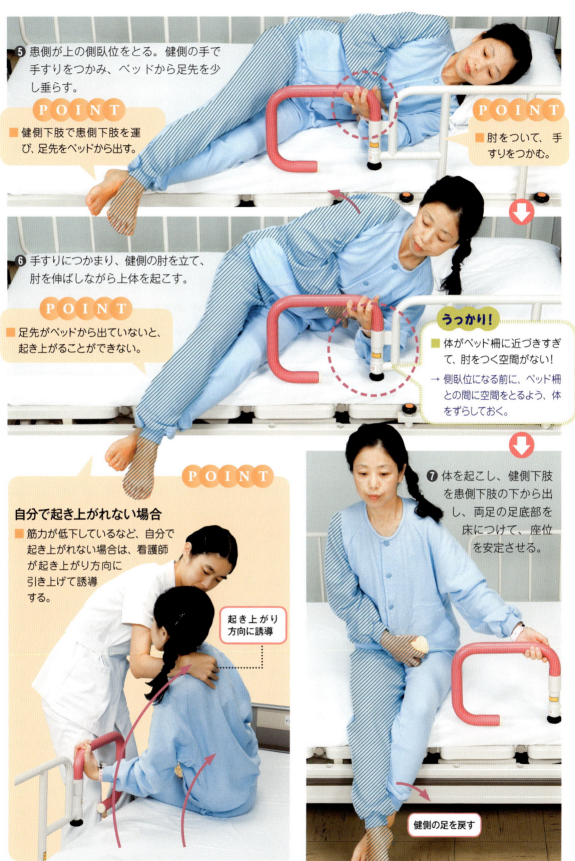

❺ 患側が上の側臥位をとる。健側の手で手すりをつかみ、ベッドから足先を少し垂らす。

POINT
■ 健側下肢で患側下肢を運び、足先をベッドから出す。

POINT
■ 肘をついて、手すりをつかむ。

❻ 手すりにつかまり、健側の肘を立て、肘を伸ばしながら上体を起こす。

POINT
■ 足先がベッドから出ていないと、起き上がることができない。

うっかり!
■ 体がベッド柵に近づきすぎて、肘をつく空間がない!
→ 側臥位になる前に、ベッド柵との間に空間をとるよう、体をずらしておく。

POINT
自分で起き上がれない場合
■ 筋力が低下しているなど、自分で起き上がれない場合は、看護師が起き上がり方向に引き上げて誘導する。

起き上がり方向に誘導

❼ 体を起こし、健側下肢を患側下肢の下から出し、両足の足底部を床につけて、座位を安定させる。

健側の足を戻す

CHAPTER **13** 日常生活援助におけるリハビリテーション

CHAPTER 13

整容

洗顔やひげそり、歯磨きなどの動作は、座位を保持できるようになると、ベッド上あるいは車椅子のような背もたれのある椅子に移乗して、実施することができる。
車椅子を使用する場合には、洗面台の下に車椅子の足台部分が入る洗面所がよい。
水道の蛇口などもレバーで容易に使用できるタイプ、自動センサーのある設備が好ましい。

PROCESS 1 手洗い、洗顔

POINT
- 洗面器をシンク内に置くと、水のはねが少なく、スムーズ。

EVIDENCE
- 足をフットレストに乗せたままでは、前傾姿勢をとった際、腹部が圧迫されることがある。
- ストッパーで車椅子を固定しないと、動作の際に動いて、転倒の原因となる。

❶❷ 車椅子に深く腰かけ、洗面道具を準備して、洗面台に移動する。ストッパーをかけ、フットレストを上げ、足底部を床につけて、姿勢を安定させる。袖をまくり、肘から先をシンクの中に入れる。

日常生活援助におけるリハビリテーション

POINT
- 蛇口が固い場合は、看護師が緩める。

❸ 健側の手で蛇口を開ける。前傾姿勢が不安定な場合は、看護師が姿勢を支える。蛇口が固い場合も、看護師が緩める。

患側

❹ 水または湯を出し、健側の手を濡らす。患側の手は、健側の手で蛇口の下に運ぶ。

❺ 健側の手で蛇口を閉める。

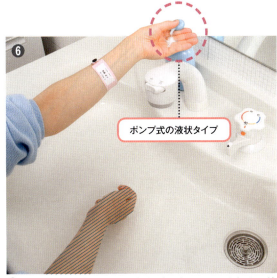

ポンプ式の液状タイプ

❻ 健側の手で適量の石けんを手にとる。石けんは、片手で操作できるポンプ式の液状が好ましい。

POINT
- 健側の手を握ったり、軽く開いたりを繰り返し、石けんを十分に泡立てる。

❼ 石けんをよく泡立てる。

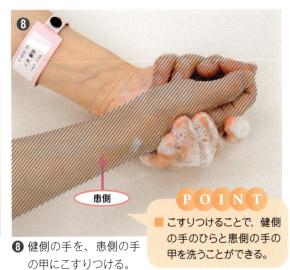

患側

POINT
- こすりつけることで、健側の手のひらと患側の手の甲を洗うことができる。

❽ 健側の手を、患側の手の甲にこすりつける。

CHAPTER 13 日常生活援助におけるリハビリテーション

CHAPTER 13

POINT
- 患側の手指は屈曲した状態で拘縮しやすい。広げて、よく洗う。
- 患側の手を開くこと自体が、関節可動域運動となる。

❾❿ 健側の手で患側の手を開き、手のひらをこすり合わせる。

⓫ 健側の手の甲を、患側の手のひらにこすりつけて洗う。

POINT
- 健側の手の甲は、洗うのを忘れがちなので注意。

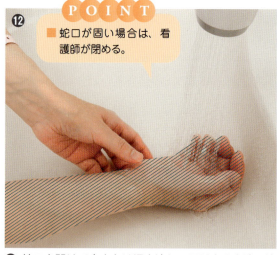

POINT
- 蛇口が固い場合は、看護師が閉める。

⓬ 蛇口を開けて水または湯を流し、石けん分を洗い流す。患側の手は、健側の手で蛇口の下に運ぶ。健側の手で蛇口を閉める。

⓭ ペーパータオルまたは布のタオルを健側に持ち、患側の手の甲を拭く。同時に、健側の手のひらも水分がとれる。

⓮ 患側の手のひらにタオルを丸めて入れ、健側の手の甲をこすりつけて拭く。同時に、患側の手のひらも水分がとれる。

―日常生活援助におけるリハビリテーション

洗顔時のポイント

髪が前に垂れないようまとめる

POINT
- より深い前傾姿勢をとり、顔が洗面台の内側にくるようにする。

袖をめくり上げ、肘を洗面台の内側に入れる

POINT
- 健側の手で顔を洗う。
- 洗顔剤を使用する場合は、片手で操作できるポンプ式が好ましい。
- 石けん分はよくすすいで、洗い流す。

洗顔は、手洗いに引き続き、健側の手で行う。
この際、より深い前傾姿勢が必要になるため、不安定な場合は、看護師が支える。
洗顔後は、タオルで水分を拭き取る。

POINT
- 前傾姿勢が不安定な場合は、看護師が背後から支え、姿勢を保持する。

CHAPTER 13

PROCESS 2 歯磨き・整髪

歯磨き

❶

POINT
- ふたがワンタッチで開く製品を選ぶと、片手で開けられる。
- ふたが固い場合は、看護師が緩める。

❶ 歯ブラシ、歯磨き粉、コップを洗面台の手の届きやすいところに並べる。健側の手で、歯磨き粉のふたを開ける。

❷

POINT
- 歯ブラシは、柄の部分が太めのものを選択すると、握りやすい。

❷ 健側の手で蛇口を開けて、コップに水を入れる。歯ブラシに水をつけて洗面台に置き、適量の歯磨き粉をつける。

❸

POINT
- 電動歯ブラシを使用してもよい。

❹

❸❹ 健側の手で歯を磨き、口をゆすいで、口元の水分をぬぐう。最後に、磨き残しがないか、手鏡でチェックする。片麻痺があると、舌や口腔周囲にも運動麻痺が生じるため、食べかすが残りやすいので注意する。

整髪

健側の手にヘアブラシを持ち、整髪を行う。健側をとかす際は顔を患側に向け、患側をとかす際は顔を健側に向ける。届かない部位は、看護師が介助する。

EVIDENCE
- 肩関節の外旋・内旋が制限されると、整髪動作が制限される。
- 肩関節の参考可動域は外旋60度・内旋80度である。

日常生活援助におけるリハビリテーション

PROCESS ③ 化粧水・乳液などのつけ方

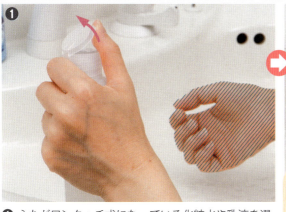

❶ ふたがワンタッチ式になっている化粧水や乳液を選ぶと、片手でふたを開けやすい。ふたが固い場合は、看護師がふたを緩める。

POINT
■ 化粧水は、液状で流れてしまうため、コットンにしみこませる。

❷ 患側の手のひらにコットンを置き、化粧水を落として、しみこませる。

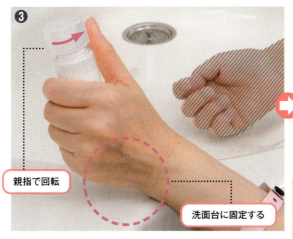

親指で回転

洗面台に固定する

❸ 回転式のふたは、健側の手でボトル上部を握り、親指でふたを回転させて開ける。その際、手首を洗面台に固定すると操作しやすい。

POINT
■ 乳液はとろみがあるため、患側の手のひらのくぼみに落とす。

❹ 乳液は、患側の手のひらに落として使用する。

❺ 患側の手のひらに落とした化粧水や乳液を、健側の手で顔につける。

CHAPTER 13 | 端座位での衣類の着脱

PROCESS 1 かぶり式上衣を脱ぐ

POINT
- 患者が1人で行う場合には、背もたれのある椅子や車椅子を使用する。

EVIDENCE
- 更衣動作には、体重移動が必要。体のバランスを崩しやすく、後方や前方に倒れることがある。

足底部が床につく

❶ 端座位をとり、足底部を床につけて姿勢を安定させる。足底部が床につかない場合には、足台を使用する。

❷❸ 首を前に曲げてやや前傾姿勢になりながら、健側の手で襟の後ろを引き上げて、頭を抜く。

PROCESS 2 かぶり式上衣を着る

足底部が床につく

❶ 足底部を床につけ、端座位をとる。

❷ 患側の袖口に、患側の手首を通し、前腕部まで上げる。

❸ 健側の手を健側の袖に通す。

❹ 健側の手で襟ぐりの後ろをつかみ、引き上げる。

日常生活援助におけるリハビリテーション

衣類の着脱動作には、姿勢を保持してバランスを保つ力、体重移動を行う能力、肩関節・股関節の可動域、四肢の筋力などが大きく影響する。できない部分を看護師が介助し、できるだけ自立して行うことで、着脱動作そのものがリハビリテーションともなる。

❹❺ 健側の手で、患側の袖を引く。患側の前腕部を脱がせる。「かぶり式」は患側から脱ぐほうがよい。
❻ 患側の手を膝に置き、健側の腕を抜く。
❼ 脱ぎ終わり。

POINT
■ 姿勢の保持や動作ができない場合は、看護師が介助する。

❺ 襟ぐりから頭をくぐらせる。
❻ 健側の手で上衣を引き下げる。
❼ 身ごろや襟元を整える。
❽ 着衣完了。

CHAPTER 13

PROCESS 3 前開きの上衣を脱ぐ

❶ 足底部を床につけ、端座位をとる。

❷ 健側の手でボタンを外す。

POINT むずかしい場合は、看護師が介助する。

❸ 健側の手で患側の肩から上衣を外す。

EVIDENCE 患側の肩を外すことにより、健側の袖を脱ぐ際、患側肩関節への過度な緊張を避けることができる。

PROCESS 4 前開きの上衣を着る

❶❷ 患側の袖口から健側の手を通し、患側の手をつかんで、袖に通す。

❸ 患側の袖口から手が出たら、健側の手で、袖を肩まで持ち上げる。

❹ 健側の手で襟ぐりをつかみ、後ろ身ごろを背中に回す。

―――――日常生活援助におけるリハビリテーション

❹ 健側の肩を外して、袖を抜く。
❺❻ 健側の手で、患側の袖を抜く。
❼ 脱ぎ終わり。

❺ 健側の袖に、腕を通す。

POINT
■ むずかしい場合は、マジックテープでとめたり、フック式ボタンを利用するとよい。

❻ 健側の手でボタンをとめる。
❼ 着衣完了。

CHAPTER 13

PROCESS 5 ズボン・靴を脱ぐ

POINT ■ 姿勢が不安定になる場合は、看護師が支える。

POINT ■ 健側に体重をかけ、腰を浮かせ、肘を伸ばす力を利用。

❶ 足底部を床につけ、端座位をとる。（足底部が床につく）

❷ 健側の手で、ズボンを足の付け根まで下ろす。

❸ 健側の手で手すりをつかみ、肘を伸ばしながら立ち上がる。

POINT ■ 自分でできない場合は、看護師が介助する。

❼ 健側の手で、患側下肢を健側下肢の上に乗せる。

❽ 健側の手で、患側の靴を脱ぐ。

❾ 健側の手で、患側のズボンを脱ぐ。

日常生活援助におけるリハビリテーション

POINT
■ 転倒に注意! 姿勢が不安定なら看護師が支える。

❹ 立ち上がった状態。手すりを離せない場合は、この姿勢を保持し、看護師がズボンを下ろす。

❺ 手すりを離し、健側の手でズボンを膝まで下げる。

❻ 再び、手すりをつかみ、ベッドに腰かける。

POINT
■ 前傾姿勢が不安定な場合は、看護師が支える。
■ 深い前傾姿勢がとれない場合は、看護師が介助する。

脱ぎ終わり

❿ 健側の手で患側下肢を持って、下ろす。

⓫ 前傾姿勢をとり、足首まで健側のズボンを下ろす。健側の靴を脱ぐ。

⓬ 脱ぎ終わり。

CHAPTER 13

PROCESS 6 ズボンをはく

POINT
- 前傾姿勢が不安定なら、看護師が支える。
- 自分でできない場合は、看護師が介助する。

❶ 足底部を床につけ、端座位をとる。患側のズボンを輪にして準備する。

❷ 前傾姿勢をとり、健側の手で患側下肢を持つ。

❸ 患側下肢を健側下肢に乗せる。

POINT
- 転倒に注意！立位が不安定な場合は看護師が支える。

❼ 健側の足をズボンに入れる。

❽ 健側の足首が出たら、手すりを持って、立ち上がる。

❾ 手すりを離すのがむずかしければ、この状態で、看護師がズボンを上げる。

日常生活援助におけるリハビリテーション

POINT
■ ズボンは、長さの合ったものを用意する。長すぎると転倒の原因にもなるので、注意。

❹ 輪にしておいた患側のズボンを、患側の足に通す。

❺ 裾から足首が出たら、ズボンを膝上まで引き上げる。

❻ 健側の手で、患側下肢を下ろす。

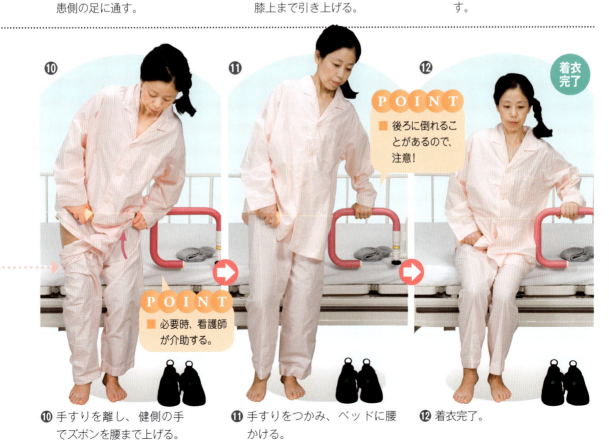

POINT
■ 必要時、看護師が介助する。

POINT
■ 後ろに倒れることがあるので、注意!

着衣完了

❿ 手すりを離し、健側の手でズボンを腰まで上げる。

⓫ 手すりをつかみ、ベッドに腰かける。

⓬ 着衣完了。

CHAPTER 13

PROCESS 7 靴下・靴をはく

① 足底部を床につけ、端座位をとる。

② 健側の手で患側下肢を持ち、健側の膝に乗せる。

③ 健側の手で、患側の足に靴下をはかせる。つま先から入れ、踵を合わせて引き上げる。

POINT ■ 靴は底がゴム製で滑りにくく、はきやすく、脱げにくいものを選択。

POINT ■ 前傾姿勢が保持できない場合は、看護師が支える。

⑦ 患側下肢に乗せていた健側下肢を下ろす。

⑧ 患側下肢を、再び、健側の下肢に乗せる。

⑨ やや前傾姿勢になり、健側の手で患側の足に靴をはかせる。

POINT ■ まず、つま先を入れ、踵の部分を合わせてはかせる。

― 日常生活援助におけるリハビリテーション

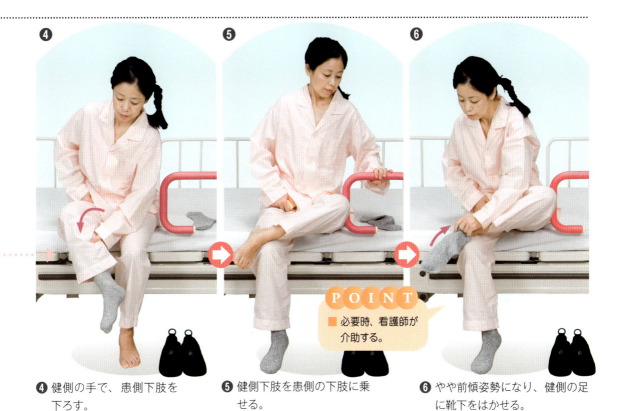

❹ 健側の手で、患側下肢を下ろす。

❺ 健側下肢を患側の下肢に乗せる。

POINT
■ 必要時、看護師が介助する。

❻ やや前傾姿勢になり、健側の足に靴下をはかせる。

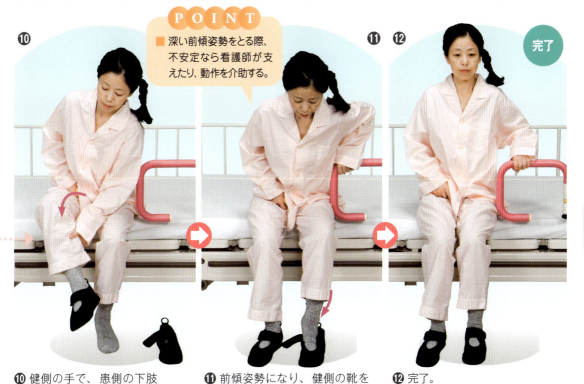

POINT
■ 深い前傾姿勢をとる際、不安定なら看護師が支えたり、動作を介助する。

❿ 健側の手で、患側の下肢を下ろす。

⓫ 前傾姿勢になり、健側の靴をはく。

⓬ 完了。

CHAPTER 13

日常生活援助におけるリハビリテーション Q&A

 看護師が、日常生活援助に生かすリハビリテーションとは？

 身体機能に障害を受けた人のリハビリテーションは、理学療法士や作業療法士が行う機能訓練に限定したものではない。確かに、リハビリテーションの開始にあたっては、専門医による診断・指示に基づき、理学療法士や作業療法士により具体的な内容が検討される。

しかし、リハビリテーション室での訓練は、患者が新しい身体の動きや機能を獲得していくための学習の場であり、それらを日常生活に取り入れていくことで、初めて身体の動きが患者自身のものになっていくのである。

身体機能を失った人が、それらを再び獲得していく過程は、想像以上のつらい体験である。本書で紹介したような着替えなどの生活動作を1人でできるようになるまでは、長い年月を要する場合が多い。その過程において、看護師が機能獲得の状況に応じて必要な援助の手を添え、段階的に支援していくことによって、患者が自立の喜びを感じ、さらなる回復への意欲を高めていくことができるのではないだろうか。

さらに、専門的に学びたい看護師には、日本リハビリテーション看護学会などがある。

 寝たきり状態になると、心身にどのような影響がある？

 一定期間寝込んだり、安静状態が継続した場合、特に高齢者は体力の低下が生じやすい。その結果、「廃用症候群」と呼ばれるいくつかの症状が現れる。廃用症候群が悪化すると、さらに二次的な障害が生じ、寝たきり状態となる悪循環に陥りやすい。それらの予防のためにも、本章で紹介した関節可動域運動を取り入れると効果的である。

廃用症候群の症状

● 筋肉の萎縮・筋力低下	● 肺炎
● 関節の拘縮	● 尿路感染
● 骨粗鬆症	● 褥瘡
● 起立性低血圧	● 認知症症状

日常生活援助におけるリハビリテーション

Q 「アフォーダンス理論」とは？

A アフォーダンス理論に基づく生態学的アプローチが、リハビリテーション領域でも注目されている。アフォーダンス理論とは、J.J.Gibsonが提唱した知覚に関する理論。私たちの知覚や行動は、周囲の環境にある情報を能動的に探索し、さらなる知覚や行為を形作っていくという認知科学の考え方である（文献7）。

リハビリテーションの領域では、この理論に基づき、人の行動の不足を補うという発想からの道具や援助方法の開発ではなく、人が周囲の情報に触れながら目的とする行動を導くという発想に転換している。

例えば、車椅子で食事をする場合、上体が後ろに寄りかかっている姿勢では、食べ物に向かって身体を動かすことが制限される。一方、車椅子に枕を入れ、机を前に設置することによって、視線は自然に食べ物に向かい、身体を動かすという「向かうアクション」が引き出される。

つまり、机・枕といった道具の配置により生まれた新しい知覚が、食事という行動を導くのである。

佐々木（文献10）は、アフォーダンス理論に基づき、20代前半の頸髄損傷で肩以下の全身が麻痺した男性のリハビリテーションを観察した。

その結果、靴下をはくという行為には「転倒しない」ための姿勢の微調整、「全身の屈曲」姿勢の形成と保持、「手で靴下の操作」という3つの課題が含まれることを明らかにした。

私たちが靴下をはく場合、自然に背中や殿部を床や壁につけて姿勢を安定させ、左右の足を手元に近づけ、靴下の入り口を広げて足を入れる。

理学療法士や看護師がベッドの背もたれを起こし、上体を起こした姿勢にすることで、この男性は「転倒しない」姿勢と「全身の屈曲」姿勢を保持し、靴下をはく時間が短縮されるのである。

アフォーダンス理論…例えば、

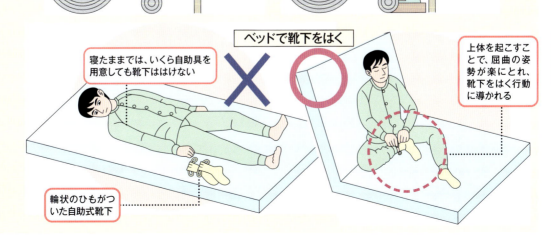

車椅子での食事
- 寄りかかった姿勢では、食事行動が制限される ×
- 枕を使い、食卓を前に出すことで、視線が食物に向かい、食事行動に導かれる ○

ベッドで靴下をはく
- 寝たままでは、いくら自助具を用意しても靴下ははけない ×
- 輪状のひもがついた自助式靴下
- 上体を起こすことで、屈曲の姿勢が楽にとれ、靴下をはく行動に導かれる ○

CHAPTER 13 日常生活援助におけるリハビリテーション

CHAPTER 14 死後のケア

死後のケアは、亡くなられた方へのケアであると同時に、ご遺族への
ケアでもある。ご遺体に対しては、
生前と同じような言葉づかいや態度で接し、
心を込めて、ていねいにケアを行う。ご遺族の意思を一つひとつ確認し、
同意を得ながらケアを行うことも重要である。

目 的
1. 装着された医療器具を外して清拭し、ご遺体を清潔にする。
2. 死によって起こる外観の変化を最小限にとどめ、美しく整える。
3. ご遺体からの体液・排泄物などの流出を防ぎ、感染を防止する。
4. ご遺族が亡くなられた患者と十分なお別れができるよう、サポートする。

原 則
ご遺体を尊重し、心を込めてていねいな態度で接する。1人で実施すると、清拭時などにご遺体を保持することがむずかしく、傷つけてしまう可能性もあるため、原則として2人以上の看護師で行う。

■死後経過時間とご遺体の変化

心停止後の経過時間	発現する現象
約1～2時間	死斑が発現。
約2時間	開眼した状態で、角膜表面の白濁が発現。
約2～3時間	顎関節や頸関節に死後硬直が発現。その後、上肢関節、下肢関節へと進展。
約5～6時間	死斑が著明となる。
約6～8時間	死後硬直が全身の諸関節に及ぶ。
約12時間	閉眼した状態で、角膜の混濁が発現。
約12～15時間	死斑が完成される。 死後硬直が最高に達し、死後1日～1日半ぐらいまで持続。

死後のケアの一連の流れ

1 お別れ（末期の水）まで

death亡確認 → 医療機器を停止。ご遺体の外見を整える → 医療機器を室外に → 末期の水の準備

(1) 医師による死亡確認の後、お別れ（末期の水）に備え、ご遺体の外見を整え、病室内を整理する。この際、ご遺族に「お別れ（末期の水）のための準備をさせていただきます」と説明し、いったん退室していただく。ご遺族が号泣されるなどして、ご遺体と離れがたい状況の場合は、無理に退室を促さず、静かに①～④を実施する。

 医療機器を停止する。ご遺体の目を閉じる。
 ラインやコード類（モニター心電図の電極と送信機、酸素吸入の鼻カニュラ、末梢静脈ライン、中心静脈ライン、胃チューブなど）を外す。膀胱留置カテーテルなど、寝衣や掛け物で覆えるドレーンはこの段階で外さず、お別れ後に外す。
 外していた義歯があれば、ここで装着する。
④ 医療機器（心電図モニター・点滴スタンドなど）を病室の外に出す。

(2) お別れ（末期の水）の準備をする。

2 お別れ（末期の水）

(1) ご遺族に入室していただき、「末期の水」をとっていただく。看護師も同様に行う。

(2) ご遺族がお別れの時間を過ごす間に、清拭その他の物品を準備する。

3 お別れ（末期の水）の後

看護師の身支度 → 汚物の排出 → 胃チューブ以外のドレーン抜去 → 清拭・詰め物・ドレッシング交換 → 着衣・整容

(1) 看護師は、スタンダードプリコーションに沿って、身支度を整え、①～⑦を順に行う。

① 汚物の排出を顔から下肢に向かう順に行う。
② 1で外した胃チューブ以外のドレーンを、抜去する。
③ 清拭・体腔への詰め物を、それぞれ顔から下肢に向かう順に行う。

POINT
■ 病理解剖を受ける場合は、清拭までを行って出棟していただく（男性はひげ剃りも行う）。

 点滴ラインなどの抜去部、その他の創のドレッシング交換を行う。
 衣類を着せる。
 爪切り、ひげ剃りを行う。
 お化粧を行う。

EVIDENCE
■ ③④の処置が不十分な場合、ケア終了後から火葬されるまでの間に、汚物や分泌物が流出するケースがある。
ご遺体の尊厳、ご遺族への配慮を持って、感染予防の観点からもていねいに実施することが重要である。

(2) ご遺族と患者に最期のひとときを過ごしてもらい、患者の荷物をまとめるのをお手伝いする。最後に後片付けを行う。

CHAPTER 14

死後のケアに必要な物品

1 お別れ（末期の水）まで

使用目的	必要物品
ライン類の抜去 抜去部の圧迫固定	❶ 手袋　❷ マスク ❸ プラスチックエプロン ❹ 膿盆（ビニール袋付き） ❺ ごみ袋 ❻ アルコール綿 ❼ ガーゼ　❽ テープ ❾ はさみ ❿ 縫合セット
ご遺体の簡単な整容	❶ タオル ❷ ティッシュペーパー ❸ 水

2 お別れ（末期の水）

使用目的	必要物品
末期の水	❶ 湯飲み ❷ 水 ❸ 綿棒 ❹ 顔を覆う白い布 ❺ トレー

3 お別れ（末期の水）の後（1）

使用目的	必要物品
看護師の身支度	❶ 手袋　❷ マスク ❸ プラスチックエプロン
排泄	❶ 便器/便器カバー ❷ 膿盆（ビニール袋付き） ❸ シリンジ ❹ ティッシュペーパー 　 トイレットペーパー ❺ ごみ袋
清拭	❶ タオル ❷ 洗面器 ❸ 湯

撥水性・非透過性のものを使用

死後のケア

3 お別れ(末期の水)の後(2)

使用目的	必要物品
詰め物	❶ 脱脂綿 ❷ 青梅綿 ❸ 割り箸 ❹ 紙コップ ❺ 水

POINT
- 脱脂綿や青梅綿に代わる「体液漏出防止剤」のセットが発売されている。

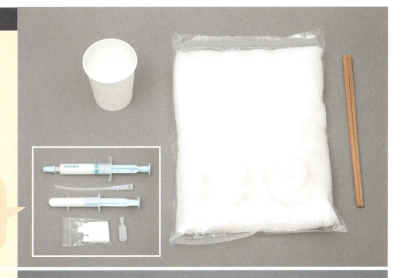

使用目的	必要物品
ドレッシング交換	❶ ガーゼ ❷ 伸縮性テープ ❸ はさみ ❹ 膿盆 　（ビニール袋付き）

POINT
- ご遺体の状態に合わせてドレッシング材を工夫。
- 外観の美しさに配慮する。

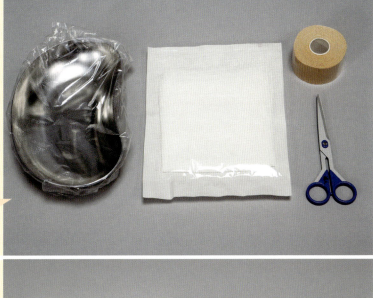

使用目的	必要物品
着衣・シーツ交換	❶ フラットおむつ ❷ T字帯 ❸ 衣類 　（家族が希望するもの） ❹ シーツ2枚
整容	❶ タオル ❷ 電動ひげ剃り ❸ ヘアブラシ ❹ 爪切り ❺ 化粧品 　（化粧水・乳液・ファンデーション・口紅・頬紅・コットン・スポンジ・リップブラシ・綿棒・眉ブラシ・アイブロウなど）

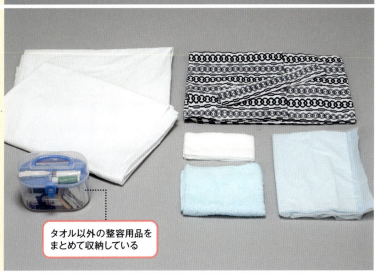

タオル以外の整容用品をまとめて収納している

CHAPTER 14 死後のケア

CHAPTER 14
死亡確認から、お別れの準備まで

ここでは死後のケアの一連の流れを「お別れ（末期の水）まで」「お別れ（末期の水）」「お別れ（末期の水）の後」と3つのプロセスに分けて説明する。

PROCESS 1 死亡確認と家族の退室

❶ 医師が、患者の死亡を確認する。看護師は、死亡宣告時刻を正確に把握する。医療機器による医療行為（モニタリング・酸素吸入・輸液など）を停止する。

POINT
- 死の三徴候：心停止・呼吸停止・瞳孔散大。
- 浮腫を最小限にするため、輸液は速やかに停止。

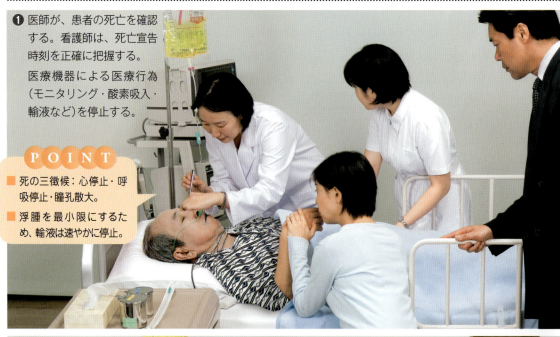

❷ 患者・ご遺族に黙礼を行う。ご遺族がやや落ち着いたころに、「お別れの水（末期の水）の準備をさせていただきますので、しばらくお待ちください」と説明し、ご遺族にいったん退室していただく。

POINT
- ご遺族が号泣されているなど、ご遺体から離れがたい状況の場合は、退室を無理に促さない。ご遺族の心情に十分配慮し、静かにケアを進めていく。

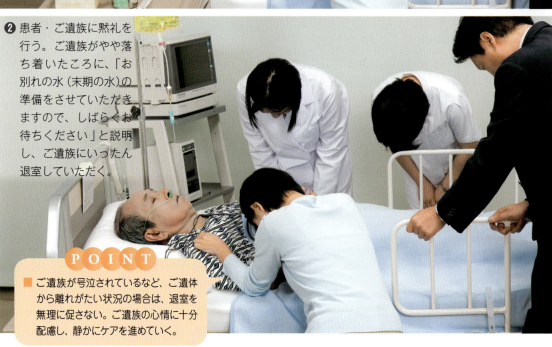

死後のケア

PROCESS 2 医療機器を取り外し、片付ける

POINT
- なで下ろしても閉眼しない場合は、ティッシュペーパーを小さく切って軽く濡らし、眼球に乗せてから上眼瞼を閉じるとよい。

❶ ご遺体の眼が開いている場合は、両眼をなで下ろし、閉眼する。

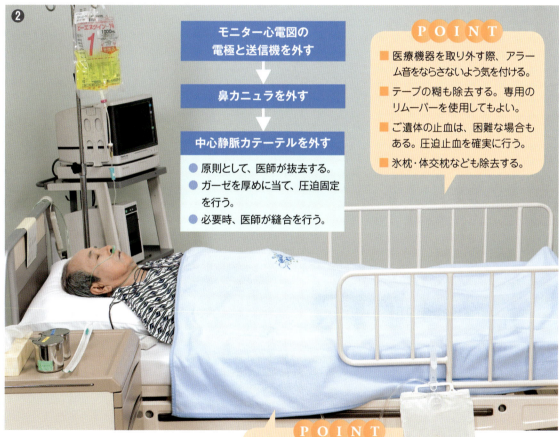

モニター心電図の電極と送信機を外す
↓
鼻カニュラを外す
↓
中心静脈カテーテルを外す
- 原則として、医師が抜去する。
- ガーゼを厚めに当て、圧迫固定を行う。
- 必要時、医師が縫合を行う。

POINT
- 医療機器を取り外す際、アラーム音をならさないよう気を付ける。
- テープの糊も除去する。専用のリムーバーを使用してもよい。
- ご遺体の止血は、困難な場合もある。圧迫止血を確実に行う。
- 氷枕・体交枕なども除去する。

❷ 患者に装着された医療器具を外して、室外へ出す。ご遺族の悲しみが軽減されるよう、医療器具を外すことは重要である。お別れの場にふさわしく、病室内を整える。

POINT
- 膀胱留置カテーテルは、お別れ後の処置の際に抜去する。
- 胃チューブが挿入されている場合は、胃内容物をシリンジで吸引し、チューブを丸めて抜去する。

CHAPTER 14

PROCESS ❸ お別れの準備

❶ タオルを湯に浸し、顔を清拭する。この際、外していた義歯があれば装着する。頭髪を整える。

> **POINT**
> - 義歯は、すみやかに装着する。死後硬直が始まると、装着できなくなる。
> - 義歯の装着は、容貌を整える意味で重要である。

❷ 口が開いている場合は、口を閉じる。

❸ 枕を入れて下顎を引いた頭位にする。

❹ 寝衣を整え、シーツを引き伸ばし、上掛けをかけて寝具を整える。病室内が片付いていることを確認し、お別れ（末期の水）用物品を乗せたトレーを床頭台に置く。

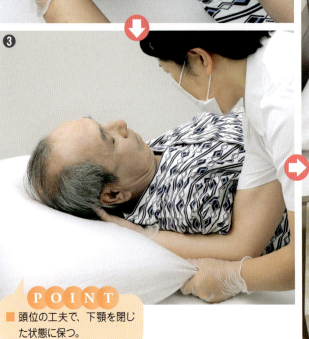

> **POINT**
> - 頭位の工夫で、下顎を閉じた状態に保つ。

お別れ（末期の水）

PROCESS 1 末期の水

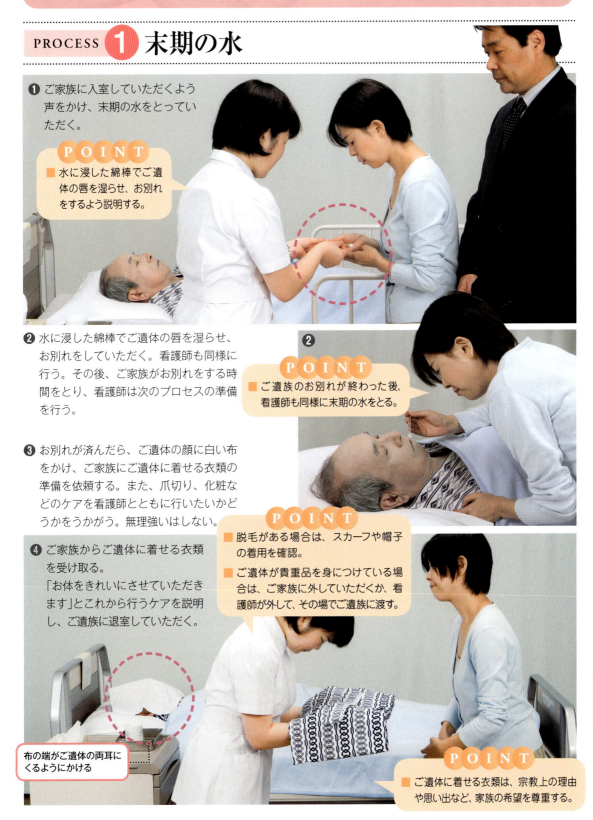

❶ ご家族に入室していただくよう声をかけ、末期の水をとっていただく。

POINT
- 水に浸した綿棒でご遺体の唇を湿らせ、お別れをするよう説明する。

❷ 水に浸した綿棒でご遺体の唇を湿らせ、お別れをしていただく。看護師も同様に行う。その後、ご家族がお別れをする時間をとり、看護師は次のプロセスの準備を行う。

POINT
- ご遺族のお別れが終わった後、看護師も同様に末期の水をとる。

❸ お別れが済んだら、ご遺体の顔に白い布をかけ、ご家族にご遺体に着せる衣類の準備を依頼する。また、爪切り、化粧などのケアを看護師とともに行いたいかどうかをうかがう。無理強いはしない。

POINT
- 脱毛がある場合は、スカーフや帽子の着用を確認。
- ご遺体が貴重品を身につけている場合は、ご家族に外していただくか、看護師が外して、その場でご遺族に渡す。

❹ ご家族からご遺体に着せる衣類を受け取る。
「お体をきれいにさせていただきます」とこれから行うケアを説明し、ご遺族に退室していただく。

布の端がご遺体の両耳にくるようにかける

POINT
- ご遺体に着せる衣類は、宗教上の理由や思い出など、家族の希望を尊重する。

CHAPTER 14

お別れの後

PROCESS 1 汚物の排出とドレーン抜去

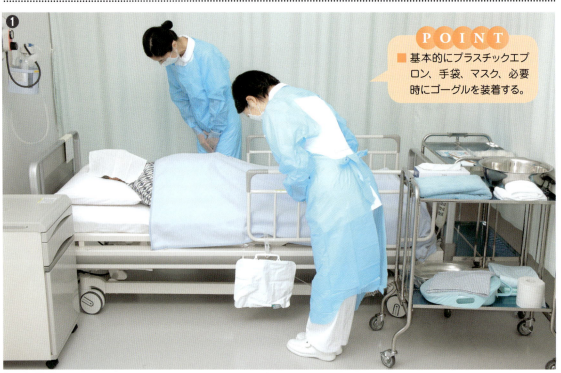

POINT
- 基本的にプラスチックエプロン、手袋、マスク、必要時にゴーグルを装着する。

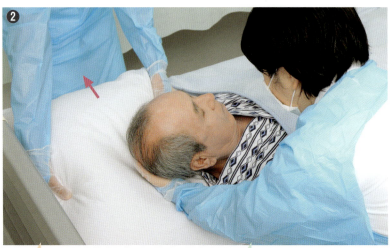

❶❷ 看護師はスタンダードプリコーションに従って、プラスチックエプロン・手袋などを装着する。

ご遺体に一礼して、顔を覆う白い布と枕を外す。

ここからのケアは、死後硬直の始まる1〜2時間以内に終わらせるようにする。

POINT
- ここからのケアは、必ず、看護師2人以上で行う。
- ご遺体を傷つけないように配慮する。
- ご遺体を尊重し、心を込めてていねいに行う。

EVIDENCE
- ご遺体をしっかりと保持し、傷つけないためにも、2人以上の看護師で行うことが必要である。
- 感染予防の観点から、必ず、プラスチックエプロン・手袋などを装着する。

死後のケア

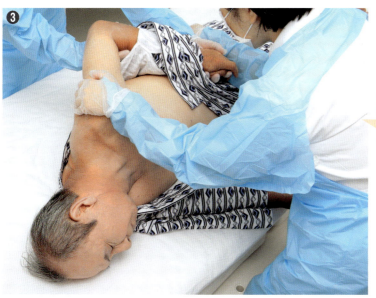

❸ ご遺体を側臥位にして、寝衣を片側ずつ脱がせる。その際、1人がご遺体をしっかりと保持する。

POINT
- 側臥位にする際、ご遺体をしっかりと保持し、傷つけないようにする。

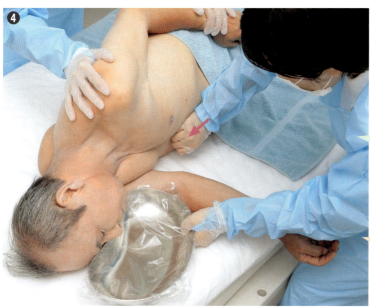

❹ ご遺体を全裸にし、右側臥位をとる。口元に膿盆を置き、握りこぶしを胃部に当てる。心窩部方向に向かって圧迫し、胃内容物を排出する。

EVIDENCE
- 右側臥位をとることにより、胃内容物が排出しやすくなる。

POINT
- 必要時、口鼻腔吸引を行う。
- 気管内吸引を行った後、気管カニューレを外す。

※胃内容物の排出の必要性については、様々な考え方がある。
本稿では、排出する場合の方法を紹介する。

COLUMN

腹水があるご遺体の場合

腹水は、患者さんやご家族にとって「苦しさの象徴」である場合が少なくない。死後も腹水は固まらないので、ご遺体の輸送時に腹部が揺れ、痛々しい。なるべくならば、この段階で医師が腹水穿刺を行い、腹水を排出することが望ましい。腹水を排出した後、穿刺部から腹水が漏出することがあるので、ガーゼを厚めに当て、テープで圧迫固定する。

CHAPTER 14 死後のケア

CHAPTER 14

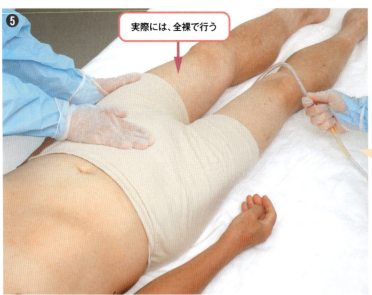

実際には、全裸で行う

❺ 殿部に便器を当て、恥骨上部を下方に向けて圧迫し、尿の排泄を促す。十分に排出した後、膀胱留置カテーテルを抜去する。

POINT
- 尿の排出時には、便も排出する可能性があるため、あらかじめ殿部に便器を当てる。

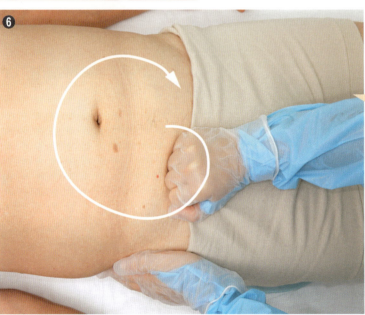

POINT
- 腸の走行に合わせて、腹部に「の」の字を描くようにする。
- さらに、肛門に向かって圧迫すると便が排出しやすい。

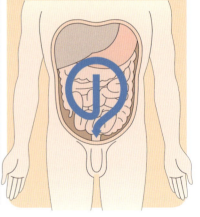

❻「の」の字を描いて腹部を圧迫し、便を排出する。
先に抜去した胃チューブ以外にドレーンが挿入されている場合には、医師が抜去して縫合する。看護師は縫合部に厚めにガーゼを当て、テープで確実に固定し、ドレッシングを行う。

CHECK!

ペースメーカーは、火葬時に危険!
ペースメーカーは火葬時に爆発する危険があるため、必ず、摘出する必要がある。
医師が皮下より取り出し、皮膚を縫合閉鎖する。

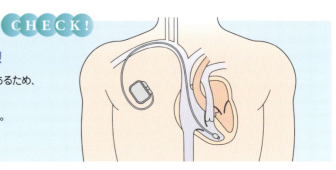

PROCESS ❷ 清拭・詰め物・ドレッシング交換

清拭

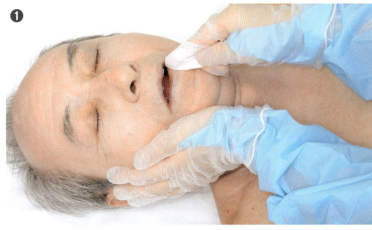

❶ 水で絞ったガーゼを指に巻きつけ、口腔内を清拭する。ご遺体の状況により、湿らせた綿棒を用いてもよい。

POINT
- 口腔内からの異臭を防ぐため、必ず行う。

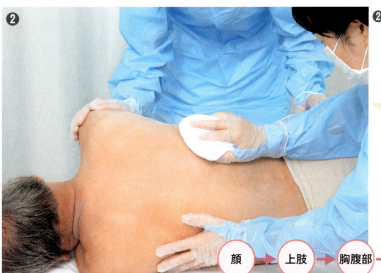

❷ タオルを湯で絞り、清拭を行う。顔→上肢→胸腹部→下肢→背部→陰部の順に、全身を清拭する。

POINT
- 清拭の際も、ご遺体をしっかりと保持し、傷つけないようにする。

顔 → 上肢 → 胸腹部 → 下肢 → 背部 → 陰部

詰め物

※詰め物の必要性については、さまざまな考え方がある。本項では、詰め物を行う場合の方法を紹介する。

❸ 次に、分泌物・排出物の流出を防ぐため、鼻腔→口腔→肛門→腟の順に、脱脂綿と青梅綿を詰める。
　まず、脱脂綿の先端3〜5cmを水に浸して軽く絞り、鼻腔に詰めていく。

鼻腔 → 口腔 → 肛門 → 腟

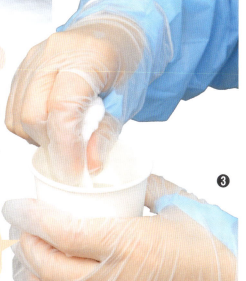

POINT
- 脱脂綿の先端3〜5cmを水に浸して軽く絞っておくと、水分により、鼻腔への挿入が滑らかとなる。

CHAPTER 14

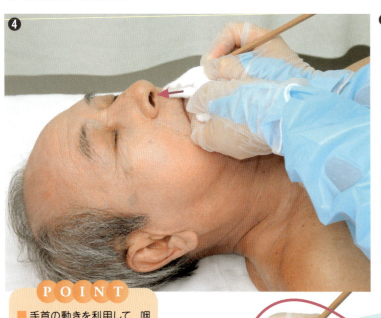

❹❺ 水で絞った脱脂綿の先端を割り箸に巻き、さらに巻きつけながら鼻腔に挿入する。

手首の動きを利用して、脱脂綿を咽頭の奥まで十分に詰め、最後に青梅綿を詰める。

うっかり！

- 詰めすぎて鼻翼が膨らんでしまった！
→ 詰めすぎて容貌が変化したり、はみ出したりしないよう、適量を詰める。

POINT

- 手首の動きを利用して、咽頭の奥まで詰める。
- 鼻翼が膨らんで変形しないよう、挿入角度・挿入量に注意！

POINT

- 最後に青梅綿を詰める際は、鼻腔からはみ出さないよう注意！

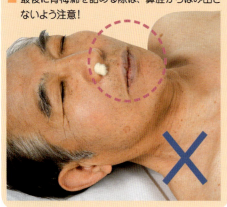

EVIDENCE

脱脂綿＝水分吸収
青梅綿＝水をはじく

- 脱脂綿は油分がなく、水分をよく吸収するため、先に詰める。
- 青梅綿は油分があって水分をはじくため、分泌物の腔外への漏出を防ぐ「栓」の役割を果たす。
- 脱脂綿と青梅綿の吸収性の違いをQ&Aに示した。

死後のケア

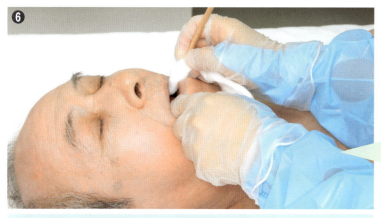

❻ 舌を指で押さえながら、口腔から咽頭の奥まで脱脂綿を詰める。最後に、青梅綿を詰める。

EVIDENCE
- 舌を巻き込むと、綿が入りづらくなる。
- 舌を巻き込んだまま無理に綿を押し込むと、頬が膨らみ、顔が変形してしまう。

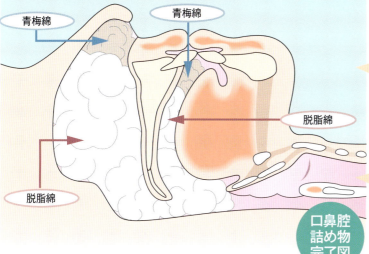

口鼻腔詰め物完了図

POINT
- 鼻腔から十分に詰めていれば、口腔内は少なくてよい。
- 青梅綿は、外から見えないように詰める。

POINT
- 出血や滲出液流出の可能性がある場合は、外耳道にも脱脂綿を詰める。

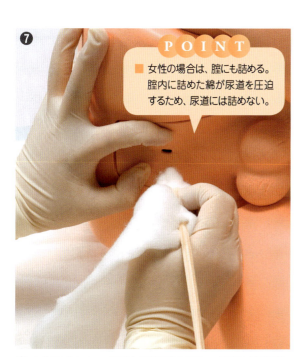

POINT
- 女性の場合は、腟にも詰める。腟内に詰めた綿が尿道を圧迫するため、尿道には詰めない。

❼ 左側臥位にし、肛門に脱脂綿を詰め、最後に青梅綿を詰める。

ドレッシング交換

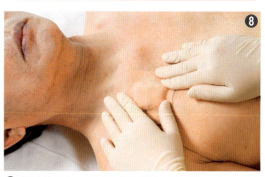

❽ 仰臥位にし、ライン抜去部などのドレッシングを交換する。

POINT
- 体液の滲出や出血によって寝衣が汚染されないよう、ご遺体の状態に応じてドレッシング材を工夫する。
- テープはていねいにカットし、外観の美しさに配慮する。目立たないよう肌色のテープを用いてもよい。
- テープははがれにくいよう、角に丸みをつける。

CHAPTER 14

PROCESS ❸ 着衣・整容

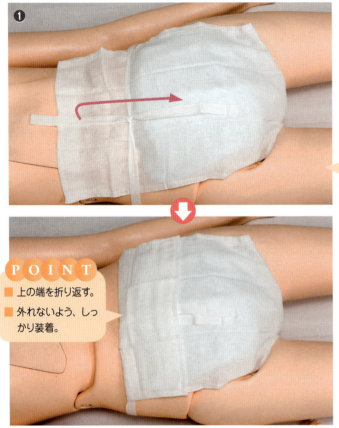

POINT
- 上の端を折り返す。
- 外れないよう、しっかり装着。

❶ ご遺体を側臥位にし、肛門部・陰部にフラットなおむつを当て、T字帯を当てる。仰臥位に戻し、T字帯のひもを結ぶ。
　ひもは、必ず縦結びにし、結びきり（一度結んだら、ほどけない結び方）にする。

POINT
- 状態に合わせ、肛門部・陰部には青梅綿を当ててもよい。
- T字帯にこだわらず、ご遺族の希望に合わせ、パンツを着用する場合もある。
- 腹部に創がある場合は、創部のドレッシングを固定するため、腹帯を巻く。
- ご遺体に着せる衣類のひもは、縦結びの結びきりにする。縦結びとは、横から結んだひもの両端が縦に向く結び方。

❷ 側臥位をとり、着物の片側を着せる。同時に、下シーツを半分広げる。

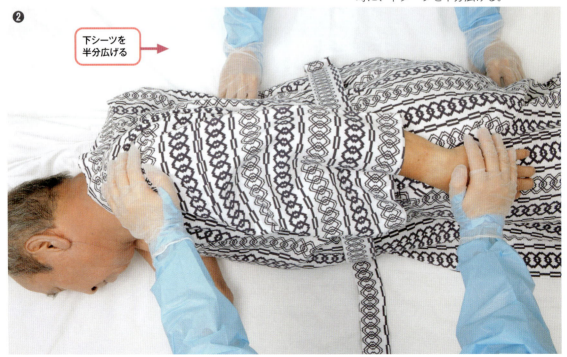

下シーツを半分広げる

死後のケア

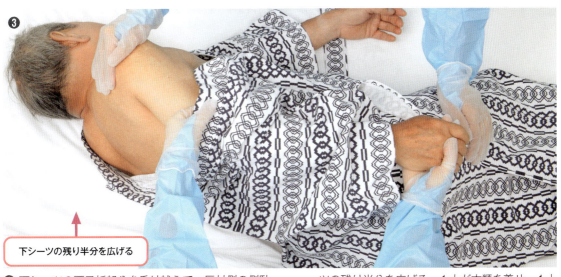

下シーツの残り半分を広げる

❸ 下シーツの扇子折部分を乗り越えて、反対側の側臥位をとり、着物の残り片方を着せる。同時に、下シーツの残り半分を広げる。1人が衣類を着せ、1人が側臥位を保持する。

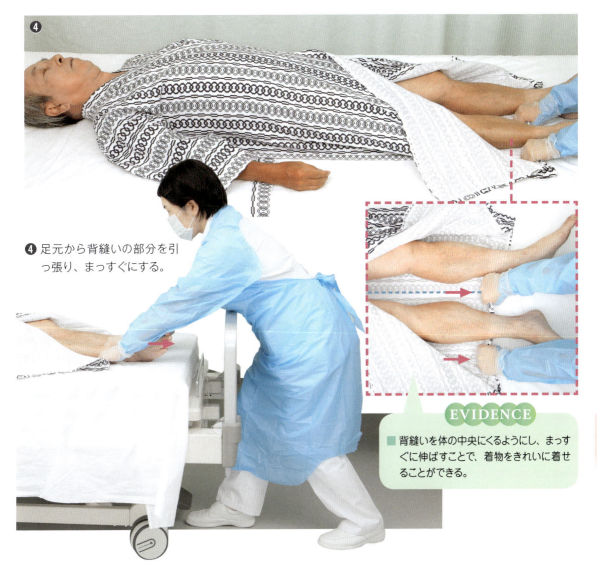

❹ 足元から背縫いの部分を引っ張り、まっすぐにする。

EVIDENCE

■ 背縫いを体の中央にくるようにし、まっすぐに伸ばすことで、着物をきれいに着せることができる。

CHAPTER **14** 死後のケア

CHAPTER 14

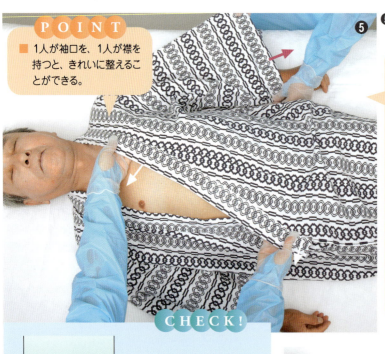

POINT
- 1人が袖口を、1人が襟を持つと、きれいに整えることができる。

❺ まず、左身ごろをきれいに整える。

POINT
ご遺体は「左前」
- 左身ごろ→右身ごろの順に合わせるのが、「左前」である。
- 左前とは、相手から見て左側の衽(右身ごろ)を上にして着物を着ること。普通の着方とは反対で、ご遺体の着物は必ず、左前にする。
- 左衽(左身ごろ)、右衽(右身ごろ)という場合の左右は、着物を着用している人から見た左右を示している。そのため、左前を「左身ごろが上にきている状態(右前)」と誤解しやすいので注意が必要である。

CHECK!

身ごろと衽の違い

前身ごろ

衽

POINT
- 看護師は右手でご遺体の両足を保持し、左手で左身ごろをていねいに下腿の下に巻き込む。

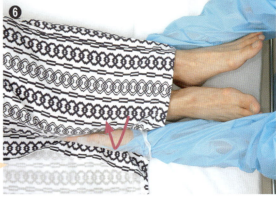

❻ 左身ごろを足元で、右下腿の下に巻き込むようにする。こうすると足元の着崩れを防ぐことができる。

❼

POINT
- 1人が襟のほうから、もう1人が足元から右身ごろを引くと、きれいに整えることができる。

❼ 右身ごろを左身ごろに重ね、きれいに整える。

234

死後のケア

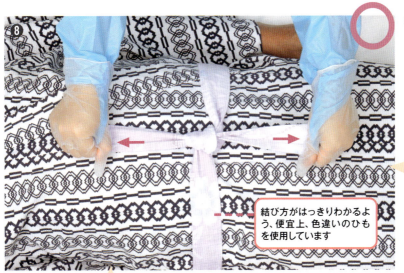

❽ 腰ひもを締め、縦結びの結びきりにする。腰ひもの位置は、男性は腸骨のすぐ上、女性は臍上部とする。

POINT

- ご遺体に結ぶひもは、必ず、縦結びの結びきりにする。
- 日常生活で用いられる「横結び」に対して「縦結び」、「右前」に対して「左前」というように、葬儀に関することは、通常と逆に行う「逆さごと」の風習がある。

結び方がはっきりわかるよう、便宜上、色違いのひもを使用しています

POINT

輪結び / 花結び

- 輪結びや花結びは、禁物！
- 横結びにならないよう注意！ 横結びとは、横から結んだひもの両端が、横を向く結び方。

❾ ご遺体に着物を着せた状態である。身ごろは左前とし、腰ひもは縦結びの結びきり。襟や袖、裾をきれいに整える。

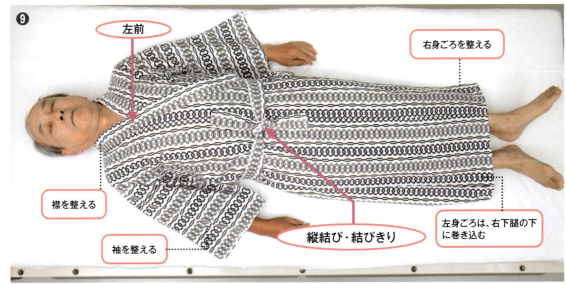

左前 / 右身ごろを整える / 襟を整える / 袖を整える / 縦結び・結びきり / 左身ごろは、右下腿の下に巻き込む

CHAPTER 14

❿ 手足の爪を切る。遺髪・爪などをご遺族が望まれる場合は、希望通りにお渡しする。

POINT
- 遺髪や爪をご遺族が希望されるかどうか、意向を伺う。

⓫ ご遺体の両手を組む。両手は自然な形で置く。

POINT
- 指を根元まで入れると、しっかり組める。
- 自然な形で両手を置く。

EVIDENCE
- 宗教上の理由によって手を組まない場合もあるため、ご遺族の意向を伺う。

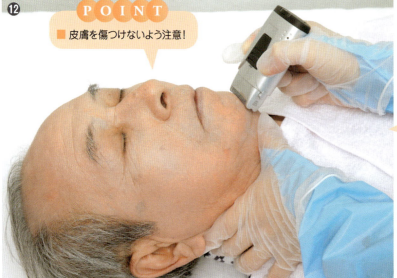

POINT
- 皮膚を傷つけないよう注意！

⓬ ヘアブラシで髪を整える。男性の場合は、襟元にタオルをかけ、ひげを剃る。

POINT
- 化学療法などによる脱毛がある場合は、ご遺族の意向によりスカーフや帽子を用いる。
- 皮膚に傷をつけないよう、二枚刃のかみそりか、電動ひげ剃り器を用いる。
- 電動ひげ剃り器は、皮膚面に垂直に1か所ごとにそっと当てると、皮膚損傷を防ぐことができる。

死後のケア

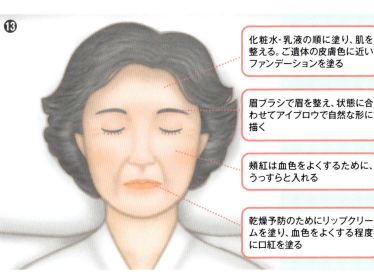

❸
- 化粧水・乳液の順に塗り、肌を整える。ご遺体の皮膚色に近いファンデーションを塗る
- 眉ブラシで眉を整え、状態に合わせてアイブロウで自然な形に描く
- 頬紅は血色をよくするために、うっすらと入れる
- 乾燥予防のためにリップクリームを塗り、血色をよくする程度に口紅を塗る

❸ 血色がよく見える程度に、化粧を行う。女性の場合は、生前の好みを知るご遺族に相談するとよい。男性にも行う場合がある。

POINT

- ファンデーション・頬紅・口紅などで、血色をよくすることがポイント。
- 治療による脱毛がある場合は、眉も描く。
- 生前のイメージを損なわないよう配慮する。

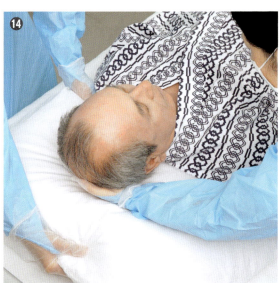

⓮ 胸元のタオルを外し、枕を当てる。口が閉じる頭位を整える。

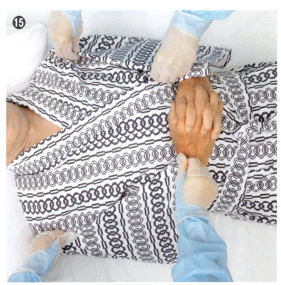

⓯⓰ 衣類を整え、再び、顔に白い布をかける。

CHAPTER 14

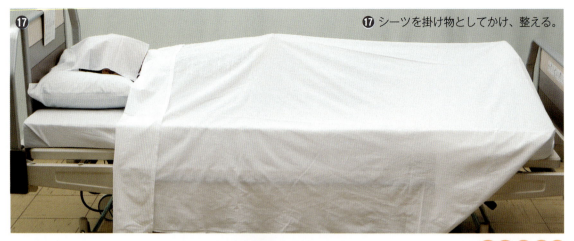

❶❼ シーツを掛け物としてかけ、整える。

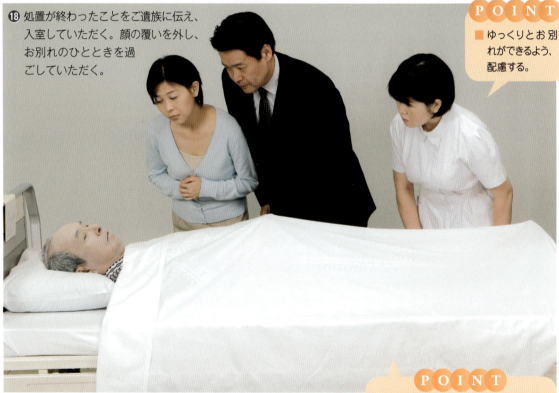

❶❽ 処置が終わったことをご遺族に伝え、入室していただく。顔の覆いを外し、お別れのひとときを過ごしていただく。

> **POINT**
> ■ ゆっくりとお別れができるよう、配慮する。

❶❾ 看護師は、ご遺体・ご遺族に一礼をし、処置に使用した物品とともに退室する。

> **POINT**
> ■ 生前、患者が使用していた寝衣やタオルなどの処理は、ご遺族に伺う。

CHECK!
退室後のチェック・ポイント

- 使用後の物品は、再使用するものと廃棄するものに分けて、片付ける。再使用するものは洗浄・消毒を行い、いつでも使用できるようにする。

- ご遺族がゆっくりとお別れのひとときを過ごせるよう、しばらく入室は控える。

- 退院時の手続きを行うため、書類を整える。死亡届は医師が書く。現住所と本籍が同じであれば、ご遺族には1通渡せばよい。

- 退院の際は、お見送りをする。

病理解剖後の処置

病理解剖後は、ご遺体のケアを病理室で行う。その際、看護師はスタンダードプリコーションに従って、プラスチックエプロン・手袋・マスク・ゴーグルなどを装着する。

手順		ポイント
1	看護師はプラスチックエプロン・手袋などを装着のうえ、2人でご遺体を清拭する。施設によっては、葬儀社の方といっしょにケアを行う場合がある。	**POINT** ■ 縫合部からの滲出液や血液は、その後の汚染を防ぐために、よく拭き取っておく。
2	解剖後の縫合部に、伸縮性のテープでドレッシングを行う。	**POINT** ■ 解剖をしたことが外観上目立たないよう、肌色のテープを用いるとよい。
3	頭部の解剖を行った場合は、縫合部にドレッシングした後、スカーフなどで頭部を覆う。	
4	鼻腔・口腔・肛門・腟の詰め物は行わず、紙おむつまたは脱脂綿とT字帯を当て、衣類を着せる。	**POINT** ■ 詰め物は行わない。
5	義歯がある場合は、義歯を入れる。	
6	血色がよく見える程度に、薄めの化粧を行う。男性でも必要に応じて行う。	**POINT** ■ 女性の場合は、ご遺族に相談して行うとよい。
7	シーツで体を覆い、顔に白い布をかける。	**POINT** ■ 解剖をしたことが外観上、目立たないよう配慮する。
8	ご遺体に一礼し、安置室に移動する。	

CHAPTER 14

死後のケア Q&A

Q 医療器具を外す際のポイントは？

A 医療器具を外すタイミングと外し方に注意する（以下の表参照）。

外すタイミング	医療器具	ポイント
お別れ前	モニター心電図の電極と送信機	送信機を紛失しないよう、外した後は、速やかにモニター心電図とともに保管する。
	酸素マスク、鼻カニュラ	マスクやカニュラをテープで固定していた場合は、ていねいにはがす。
	気管カニューレ	十分に気管内吸引を実施した後、看護師が抜去する。原則として、気管孔を医師が縫合する。
	気管内チューブ	十分に気管内吸引を実施した後、抜去する。チューブを固定していたテープは、皮膚を損傷しないようていねいにはがす。
	末梢静脈留置針	死後は止血しにくいため、確実に圧迫止血を行う。
	中心静脈カテーテル	抜去は医師が行う。止血のために厚めのガーゼを当て、伸縮性テープで固定する。
	胃チューブ	① シリンジを胃チューブに接続し、胃内容物を吸引する。 ② チューブを丸めながら抜去する。
お別れ後	その他のドレーンなど	体液を十分に排出した後に、抜去する。抜去部分には必要に応じて青梅綿を詰め、厚めにガーゼを当て伸縮性テープで固定する。医師が縫合する場合もある。
	膀胱留置カテーテル	膀胱内の尿を十分に排出させ、抜去する。
	ペースメーカー	医師が皮下より取り出し、皮膚を縫合する。厚めにガーゼを当て、伸縮性テープで固定。ペースメーカーは火葬時に爆発する危険があるため、必ず摘出する（文献5）。

Q お別れの水（末期の水）とは？

A 仏教の儀礼では「死んでいく者に対する最後のはなむけとして、臨終間際の人の口に捧げる水を、末期の水、あるいは死水（しにみず）ともいう」といわれている。釈尊が入滅の直前に水を求め、これを鬼神が捧げたてまつったとする古事によるものとされている（文献6）。現在、臨床の場では、臨終の前ではなく、臨終の後に行われることが多い。看護師も亡くなられた方へのねぎらいの気持を込めて、ご遺族とともに行いたい。

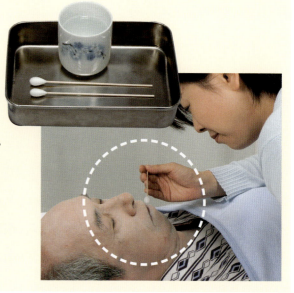

死後のケア

Q 胃内容物を用手的に出す必要はないのでは？

A 胃内容物を排出することは、腐敗の進行を遅らせるという利点がある。
しかし、感染の危険が高いため、看護師が病室で行うのは勧められないという考え方もある(文献3)。施設の基準に従って、実施する。

Q ご遺体に着せる着物を左前にし、ひもを縦結びの結びきりにする理由は？

A 寝衣を左前にしたり、ひも類を結びきりにするなどの行為は、「逆さごと」といわれる。逆さごとを行うのは、死者や、死者に深い関連のあるものを、平常な一般の生者と隔離するためであると考えられている(文献6)。

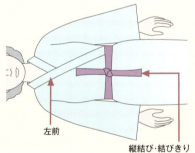

ご遺体 / 左前 / 縦結び・結びきり

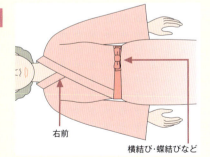

生者 / 右前 / 横結び・蝶結びなど

Q 臨終に立ち会う看護師は、泣いてはいけない？

A 看護師が感情を抑える必要はなく、患者の臨終に際して涙が出るのは自然なことである。しかし、ご遺族の気持ちへの配慮を欠くほどの号泣は慎みたい。

Q 脱脂綿の後に青梅綿を詰めるのは、なぜ？

A 脱脂綿は油分を抜いてあるため、よく水分を吸収する。一方、青梅綿は油分を含んでいるため、水分をはじく。
この性質を利用し、分泌物を吸収させる目的でまず脱脂綿を詰める。
次に、分泌物の体外への流出を防ぐため、防水性のある青梅綿を「栓」として詰める。

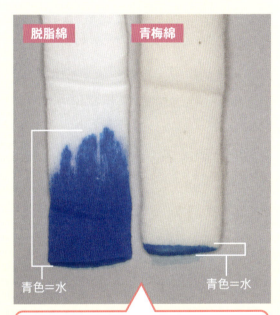

脱脂綿 / 青梅綿 / 青色=水

水を青色に着色し、脱脂綿・青梅綿に同様に吸わせてみると…、写真のように吸収力に明らかな違いが出た。脱脂綿はぐんぐんと水を吸い上げ、青梅綿はほとんど水を吸収していない。

Q 詰め物には、脱脂綿や青梅綿以外に、どのようなものがある？

A シリンジやアプリケータに充填された高吸水性樹脂や特殊繊維が使用されることがある。
高吸水性樹脂には膨潤して流動性をなくす性質が、特殊繊維には吸液して膨張する性質がある。これらの性質により、鼻腔・口腔・肛門などからの体液の漏出を防止する。

参考文献

CHAPTER 1　環境調整

1) 飯島純夫, 古屋洋子, 山崎洋子, 他：環境測定実習結果からみた病院環境の評価. Yamanashi Nursing Journal 7(1)：45-52, 2008.
2) 川島みどり監修：学生のためのヒヤリ・ハットに学ぶ看護技術. 医学書院, 2007.
3) 見藤隆子, 小玉香津子, 菱沼典子総編集：看護学事典 第2版. 日本看護協会出版会, 2011.
4) 医療・介護ベッド安全普及協議会：介護ベッド　ここが危ない!!.
   http://www.bed-anzen.org/pdf/jikoboushinitsuite.pdf

CHAPTER 2　感染予防の技術

1) 向野賢治訳, 小林寛伊監訳：病院における隔離予防策のためのCDC最新ガイドライン. メディカ出版, 1996.
2) 小林寛伊, 吉倉廣, 荒川宣親編：エビデンスに基づいた感染制御　第1集—基礎編 改訂2版. メヂカルフレンド社, 2003.
3) 大久保憲訳, 小林寛伊監訳：医療現場における手指衛生のためのCDCガイドライン. メディカ出版, 2003.
4) 小林寛伊編：改訂 消毒と滅菌のガイドライン. へるす出版, p23-24, 2004.
5) 小林寛伊, 吉倉廣, 荒川宣親, 倉辻忠俊編：エビデンスに基づいた感染制御 第2集—実践編. メヂカルフレンド社, 2003.
6) 鵜飼和浩, 山本恭子, 森本七重, 他：除菌効果からみた臨床現場における効果的な「石鹸と流水による手洗い」の検討. 日本看護研究学会雑誌 26(4)：59-66, 2003.
7) 古田太郎：アルコール類（医療用医薬品）の種類と用途. INFECTION CONTROL 11(4)：384-391, 2002.
8) 厚生労働省：医薬品等安全性情報 153号. 1999.
9) 尾家重治, 神谷晃, 瀬戸俊彦, 他：消毒薬の微生物汚染と感染との関連性. 環境感染 16(1)：91, 2001.
10) 土井英史, 加藤敦史, 鈴木英之：消毒剤万能瓶汚染調査とパック消毒剤の有用性の検討. INFECTION CONTROL 18(6)：658-661, 1999.
11) 長野恵子, 平田紀子, 清水耕一, 他：消毒薬の微生物汚染. 環境感染 18(1)：188, 2003.
12) 甲田雅一, 丸茂一義, 手塚知子, 他：アルコール入り万能壺の危険性に関する検討. Jpn Pharmacol Ther（薬理と治療）31(12)：1039-1044, 2003.
13) 大久保憲, 尾家重治：Q&Aだからよくわかる滅菌・消毒・洗浄 アルコール綿. INFECTION CONTROL 12(4)：418-421, 2003.
14) 尾家重治：消毒剤の質保証. INFECTION CONTROL 7(4)：374, 1998.
15) 堂後鈴子, 松村カネ子, 福井基成, 他：「ディスポアルコール綿導入と万能壺廃止」のコスト削減効果—消毒剤標準化とともに—. INFECTION CONTROL 12(8)：868-876, 2003.
16) 藤井昭：医療施設における手指衛生のためのガイドラインの実践. INFECTION CONTROL 13(2)：148-151, 2004.
17) 石井範子, 阿部テル子編：イラストでわかる基礎看護技術 ひとりで学べる方法とポイント. 日本看護協会出版会, 2002.
18) 加藤祐美子：感染予防. 看護技術 48(5)：641-644, 2002.

19) 粕田晴之：速乾性擦式手指消毒薬．INFECTION CONTROL 11（4）：411, 2002.
20) 川島みどり編著：改訂版 実践的看護マニュアル 共通技術編．看護の科学社, 2003.
21) 健栄製薬：消毒用エタプラス®添付文書．
22) 丸石製薬：速乾性擦式手指消毒剤ウエルパスによる手指消毒の手順．
23) 丸石製薬：速乾性擦式手指消毒剤ウエルパス添付文書．
24) 明治製菓：外用消毒剤（速乾性すり込み式手指消毒剤）イソジン®パーム添付文書．
25) 三上れつ, 小松万喜子編：演習・実習に役立つ基礎看護技術 根拠に基づいた実践をめざして．ヌーヴェルヒロカワ, 2003.
26) 日本看護協会：感染管理に関するガイドブック 改訂版．日本看護協会 http://www.nurse.or.jp/senmon/kansen/, 2004.
27) 西村チエ子：速乾性手指消毒薬の使用のポイント．INFECTION CONTROL 12（9）：920-923, 2003.
28) 大塚喜人：標準予防策について具体的に教えてください．看護技術 49（14）：1306-1307, 2003.
29) サラヤ：手指消毒用速乾性アルコールローションヒビスコール®液A添付文書．
30) 渋谷美穂：滅菌物を清潔に取り扱うことができますか？．臨牀看護 29（3）：381-387, 2003.
31) 高橋章子編：エキスパートナースMOOK17 最新・基本手技マニュアル．照林社, 1998.
32) 浦野美恵子監修：クリニカルナースBOOK エビデンスに基づく感染予防対策．医学芸術社, 2002.
33) 和田攻, 南裕子, 小峰光博編：看護大事典．医学書院, 2003.
34) 山本恭子：手洗い技術のエビデンス．臨牀看護 29（13）：1924-1933, 2003.

CHAPTER 3 移動の援助

1) 中西純子：「日常生活行動」の概念分析．愛媛県立医療技術大学紀要 1（1）：49-56, 2004.
2) 日本リハビリテーション医学会：ADL評価について．リハビリテーション医学 13（4）：315, 1976.
3) 見藤隆子, 小玉香津子, 菱沼典子総編集：看護学事典 第2版．日本看護協会出版会, 2011.
4) 大久保暢子：看護職が行なう「ポジショニング」技術の言語化と重要性．看護技術の探究．日本看護技術学会監修．看護の科学社, p134-142, 2011.

CHAPTER 4 清潔の援助

1) 安ヶ平伸枝：上肢を異なる2方向で拭いた時の自律神経系反応の比較．日本看護技術学会誌 3（1）：51-57, 2004.
2) 橋本みづほ, 佐伯由香：皮膚の水分量・油分量・pHならびに清浄度からみた清拭の効果—健康成人女性を対象にした入浴との比較検討—．日本看護技術学会誌 2（1）：61-68, 2003.
3) 日本フットケア学会：フットケア：基礎的知識から専門的技術まで．医学書院, 2006.
4) 吉永亜子, 吉本照子：睡眠を促す援助としての足浴についての文献検討．日本看護技術学会誌 4（2）：4-13, 2005.

参考文献

CHAPTER 5 口腔ケア

1) 石川昭, 他：口腔ケアによる咽頭細菌数の変動. 看護技術 46（1）：82-86, 2000.
2) 柿木保明編：臨床オーラルケア 高齢者特有の口腔症状がよくわかる. 日総研出版, 2000.
3) 柿木保明, 山田静子編：看護で役立つ口腔乾燥と口腔ケア 機能低下の予防をめざして. 医歯薬出版, 2005.
4) 川島みどり編著：改訂版 実践的看護マニュアル 共通技術編. 看護の科学社, 2003.
5) 小林直樹：口腔乾燥症2 －唾液分泌低下のメカニズムと臨床的対応－摂食・嚥下障害患者における口腔乾燥と口腔ケア－病院歯科での取り組み－. 歯界展望 100（2）：392-397, 2002.
6) 柴田浩美：柴田浩美の摂食の基本と口腔のリハビリテーションブラッシング. 医歯薬出版, 2004.
7) 柴田浩美：柴田浩美の高齢者の口腔ケアを考える. 医歯薬出版, 2003.
8) 千綿かおるアドバイザー：よい歯ブラシを選ぶためのチェックポイント. オーラルケア 1：8-9, 2004.
9) 藤原ゆみ：急性期から始める口腔ケア 第3回口腔ケアとトラブル対処. 総合循環器ケア 4（3）：75-84, 2004.
10) 弘田克彦, 他：プロフェッショナル・オーラル・ヘルス・ケアを受けた高齢者の咽頭細菌数の変動. 日本老年医学会雑誌 34（2）：125-129, 1997.
11) Yoneyama T, et al：Oral care and pneumonia. Lancet 354：515, 1999.
12) 米山武義：口腔ケアと誤嚥性肺炎予防の可能性. 日本歯科医師会雑誌 55（2）：111-120, 2002.
13) 米山武義, 他：要介護高齢者に対する口腔衛生の誤えん性肺炎予防効果に関する研究. 日本歯科医学会誌 20：58-68, 2001.

ビデオ
1) 村上美好監修：在宅ケアシリーズ5 口腔ケア「口のリハビリ」－低下した機能を回復させる－. インターメディカ.

CHAPTER 6 食事の介助

1) 東京都健康長寿医療センター看護部編著：写真でわかる高齢者ケア. インターメディカ, 2010.
2) 村上美好監修, 堺隆弘医学指導：写真でわかる看護のためのフィジカルアセスメント. インターメディカ, 2010.

CHAPTER 7 排泄の援助

1) 今井美香, 平井真理, 桑原裕子, 他：努責圧と直腸内圧および努責のかけやすさからみた排便しやすい体位の検討. 日本看護技術学会誌 10（1）：93-102, 2011.
2) 今井美香, 平井真理, 桑原裕子, 他：排便時における努責圧が循環系に及ぼす影響. 日本看護技術学会誌 10（1）：111-120, 2011.

CHAPTER 8　導尿

CHAPTER 9　経尿道的膀胱留置カテーテル

1) 阿曾佳郎監修：バルーンカテーテル取扱上の注意．メディコン，2001．
2) 豊田佳隆，近藤雅弘，小西睦美，島田宗明，滝野善夫：キシロカインゼリー®ショックの1症例．臨床麻酔 13(4)：566，1989．
3) 福井準之助監修：今日からケアが変わる　排尿管理の技術Q&A．メディカ出版，2001．
4) 高橋章子編：エキスパートナースMOOK17　改訂版　最新・基本手技マニュアル．照林社，2003．
5) 矢野邦夫監訳：カテーテル関連尿路感染症予防ガイドライン　―CDCガイドライン―．メディコン，2003．
6) 小林寛伊，吉倉廣，荒川宣親，倉辻忠俊編：エビデンスに基づいた感染制御　第2集―実践編．メヂカルフレンド社，2004．
7) 山田正巳，戸ヶ里泰典，井戸美里，他：尿路感染予防のための科学的根拠に基づいたケアの検討―尿路カテーテル装着患者に対する日常的な尿道口ケアの実態―．INFECTION CONTROL 10(9)：934-941，2001．
8) 井口ゆき枝，大庭富美子，鈴木知美，横田川実保：尿路カテーテル留置中の患者の感染予防．看護の研究 31：181-183，1999．
9) 門田晃一，公文裕巳：バイオフィルムの臨床的意義．腎と透析 55(1)：53-57，2003．
10) Costerton JW, Stewart PS／関裕子訳：細菌コロニーの砦を攻略する．日経サイエンス 31(10)：38-46，2001．
11) 門田晃一，公文裕巳：尿路カテーテルを必要とする患者の退院指導．INFECTION CONTROL 10(9)：868-872，2001．
12) 川島みどり編著：改訂版　実践的看護マニュアル　共通技術編．看護の科学社，2002．
13) 松本哲朗：尿路感染対策からみた膀胱留置カテーテルの管理．看護技術 49(7)：590-594，2003．
14) 井関孝夫，斉藤千賀子，川上由美子，横山美江，清水幸子：フォーリー導尿バルーンカテーテルにおよぼす潤滑剤の影響について．日本手術医学会誌 12(1)：128-130，1992．
15) 林正：カテーテル挿入時、留置時の痛み．Urological Nursing 5(13)：20-23，2000．
16) メディコン：バードI.C.シルバーフォーリートレイB添付文書．
17) メディコン：バーディアバイオキャスフォーリーカテーテル（3way）添付文書．
18) 矢野邦夫監訳：カテーテル関連尿路感染の予防のためのCDCガイドライン2009．メディコン，2010．

ビデオ
1) 日本赤十字社医療センター看護部監修：看護スキルシリーズ　日常生活の援助　導尿．インターメディカ．

参考文献

CHAPTER 10 グリセリン浣腸法

1) 川島みどり編著:改訂版 実践的看護マニュアル 共通技術編.看護の科学社,2002.
2) 竹尾惠子監修:Latest 看護技術プラクティス.学習研究社,2003.
3) 豊嶋三枝子,坂口桃子編:改訂 基礎看護技術 演習ガイド.久美出版,2002.
4) 村上美好監修:写真でわかる臨床看護技術.インターメディカ,2004.
5) 三上れつ,小松万喜子編:演習・実習に役立つ基礎看護技術 根拠に基づいた実践をめざして.ヌーヴェルヒロカワ,2003.
6) 大岡良枝,大谷眞千子編:なぜ?がわかる看護技術LESSON.学習研究社,1999.
7) 健栄製薬:浣腸処置マニュアル.1997.
8) 武田利明,石田陽子,川島みどり:グリセリン浣腸液による溶血誘発に関する基礎的研究.日本看護研究学会雑誌 24(3):106, 2001.
9) 神奈川県看護協会 医療安全対策課:患者安全警報No.6 安全なグリセリン浣腸の実施について.
   http://www.kana-kango.or.jp/img/anzenkeiho_6.pdf
10) 日本看護協会:緊急安全情報 立位による浣腸実施の事故報告.
    http://www.nurse.or.jp/nursing/practice/anzen/pdf/200602.pdf

ビデオ
1) 日本赤十字社医療センター看護部監修:看護スキルシリーズ 日常生活の援助 浣腸と摘便.インターメディカ.

CHAPTER 11 摘便

1) 川島みどり編著:改訂版 実践的看護マニュアル 共通技術編.看護の科学社,2002.
2) 竹尾惠子監修:Latest 看護技術プラクティス.学習研究社,2003.
3) 下高原理恵,柴田興彦,島田達生:浣腸・摘便技術の基礎となる直腸・肛門管の形態.日本看護研究学会雑誌 24(3):107, 2001.
4) 大岡良枝,大谷眞千子編:なぜ?がわかる看護技術LESSON.学習研究社,1999.
5) 井部俊子,上泉和子編:別冊ナーシング・トゥデイ4 ワーキング・スマート.日本看護協会出版会,1994.
6) 川島みどり監修:実践看護技術学習支援テキスト 基礎看護学.日本看護協会出版会,2003.
7) 河井啓三,大沼敏夫:よくわかる排便・便秘のケア.中央法規出版,1996.
8) 日本看護科学学会:看護行為用語の定義一覧 Vers.1. 領域3:身体機能への直接的働きかけ 摘便.http://jans.umin.ac.jp/naiyo/bunrui/defi_3.html

ビデオ
1) 日本赤十字社医療センター看護部監修:看護スキルシリーズ 日常生活の援助 浣腸と摘便.インターメディカ.

CHAPTER 12 罨法

1) 菱沼典子:看護技術の開発に関わる研究 排便を促進する温罨法.看護技術の探究.日本看護技術学会監修.看護の科学社.p106-114, 2011.

CHAPTER 13　日常生活援助におけるリハビリテーション

1) 初山泰弘監修, 潮見泰蔵, 齋藤昭彦編集：図解 自立支援のための患者ケア技術. 医学書院, 2003.
2) 鈴木愉編：ナースのためのリハビリテーションレクチュア 第2版. 文光堂, 2001.
3) 岡本幸市, 佐々木富男, 木暮聡子編：脳血管障害の治療と看護. 南江堂, 2001.
4) 川島みどり編：寝たきり状態の高齢者に対する背面開放座位の効果 看護実践 経験知から創造へ. 看護の科学社, p71-82, 2003.
5) 川島みどり, 菱沼典子編：看護技術の科学と検証 日常ケアの根拠を明らかにする. 日本看護協会出版会, 1996.
6) 川村治子：ヒヤリ・ハット11,000事例によるエラーマップ完全本. 医学書院, 2003.
7) 佐々木正人：アフォーダンス 新しい認知の理論. 岩波書店, 1994.
8) 高井逸史, 宮野道雄, 中井伸夫, 他：アフォーダンス理論による姿勢と動作. 日本生理人類学会誌 8(4)：37-44, 2003.
9) 林泰史編著：介助に必要なリハビリテーションの知識. 文光堂, 1994.
10) 佐々木正人：環境と行為：生態心理学の観点. 環境と理学療法. 内山靖編著. 医歯薬出版, p43-57, 2004.

ビデオ
1) 村上美好監修：在宅ケアシリーズ6 関節可動域の基礎訓練. インターメディカ.
2) 村上美好監修：在宅ケアシリーズ7 日常生活に必要なリハビリテーション. インターメディカ.

CHAPTER 14　死後のケア

1) 川島みどり編著：改訂版 実践的看護マニュアル 共通技術編. 看護の科学社, 2002.
2) 種池礼子, 岡山寧子, 中川雅子編集：パーフェクト看護技術マニュアル. 照林社, 2004.
3) 小林光恵・エンゼルメイク研究会編著：改訂版 ケアとしての死化粧 エンゼルメイクから見えてくる最期のケア. 日本看護協会出版会, 2007.
4) 藤腹明子：看取りの心得と作法17カ条. 青海社, 2004.
5) 板垣知佳子：臨終後処置の基本技術. 看護学雑誌 65(2)：122-127, 2001.
6) 藤井正雄編：仏教儀礼辞典. 東京堂出版, 1977.
7) 上山滋太郎監修：標準法医学・医事法. 医学書院, 2000.
8) 小林光恵：説明できるエンゼルケア. 医学書院, 2011.

ビデオ
1) 日本赤十字社医療センター看護部監修：看護スキルシリーズ 死後の処置. インターメディカ.
2) 竹内幸枝監修：看護スキルアップシリーズ 臨終時のケア. インターメディカ.

新訂版 写真でわかる
基礎看護技術 アドバンス
基礎的な看護技術を中心に！

2020年2月20日 初版第1刷発行

［監　修］吉田みつ子・本庄恵子
［発行人］赤土正幸
［発行所］株式会社インターメディカ
　　　　　〒102-0072　東京都千代田区飯田橋2-14-2
　　　　　TEL.03-3234-9559　FAX.03-3239-3066
　　　　　URL　http://www.intermedica.co.jp
［印　刷］図書印刷株式会社

［デザイン・DTP］真野デザイン事務所

ISBN978-4-89996-412-4
定価はカバーに表示してあります。

本書の内容（本文、図表、写真、イラストなど）を、当社および著作権者の許可なく無断複製する行為（複写、スキャン、デジタルデータ化、翻訳、データベースへの入力、インターネットへの掲載など）は、「私的使用のための複製」などの著作権法上の例外を除き、禁じられています。病院や施設などにおいて、業務上使用する目的で上記の行為を行うことは、その使用範囲が内部に限定されるものであっても、「私的使用」の範囲に含まれず、違法です。また、本書を代行業者などの第三者に依頼して上記の行為を行うことは、個人や家庭内での利用であっても一切認められておりません。